CW00685285

COLLECTION FOLIO

David Foenkinos

La famille Martin

Gallimard

Page 9 : Milan Kundera, *L'Immortalité*, trad. Eva Bloch, Éditions Gallimard, 1990.
Page 116 : Albert Cohen, *Le Livre de ma mère*, Éditions Gallimard, 1954.
Page 130 : « Fuir le bonheur de peur qu'il ne se sauve », paroles et musique Serge Gainsbourg © 1983 Melody Nelson Publishing. Avec l'aimable autorisation de Melody Nelson Publishing.
Page 187 : *Le Dernier Métro* de François Truffaut, scénario et dialogues de François Truffaut, Suzanne Schiffman et Jean-Claude Grumberg.

David Foenkinos est l'auteur de plusieurs romans, dont *Le potentiel érotique de ma femme*, *Nos séparations*, *Les souvenirs*, *Je vais mieux*, *Vers la beauté*, *Deux sœurs* et *Comment j'ai raté ma vie*. *La délicatesse*, paru en 2009, a obtenu dix prix littéraires. En 2011, David Foenkinos et son frère Stéphane l'ont adapté au cinéma avec Audrey Tautou et François Damiens. En 2014, *Charlotte* a été couronné par les prix Renaudot et Goncourt des lycéens. *Le mystère Henri Pick*, publié en 2016, a été porté à l'écran par Rémi Bezançon, avec Fabrice Luchini et Camille Cottin. Les romans de David Foenkinos sont traduits en plus de quarante langues.

La valeur d'un hasard est égale à son degré d'improbabilité.

MILAN KUNDERA

1

J'avais du mal à écrire ; je tournais en rond. Pendant des années, j'avais imaginé de nombreuses histoires, ne puisant que rarement dans la réalité. Je travaillais alors sur un roman autour des ateliers d'écriture. L'intrigue se déroulait lors d'un week-end consacré aux mots. Mais les mots, je ne les avais pas. Mes personnages m'intéressaient si peu, me procuraient un vertige d'ennui. J'ai pensé que n'importe quel récit réel aurait plus d'intérêt. N'importe quelle existence qui ne soit pas de la fiction. Fréquemment, lors de séances de dédicaces, des lecteurs venaient me voir pour me dire : « Vous devriez raconter ma vie. Elle est incroyable ! » C'était sûrement vrai. Je pouvais descendre dans la rue, arrêter la première personne venue, lui demander de m'offrir quelques éléments biographiques, et j'étais à peu près certain que cela me motiverait davantage qu'une nouvelle invention. C'est ainsi que les choses ont commencé. Je me suis vraiment dit : tu descends dans la rue, tu abordes la première personne que tu vois, et elle sera le sujet de ton livre.

2

En bas de chez moi, il y a une agence de voyages ; je passe chaque jour devant cet étrange bureau plongé dans la pénombre. L'une des employées sort souvent fumer devant la boutique, et demeure quasiment immobile en regardant son téléphone. Il m'est arrivé de me demander à quoi elle pouvait penser ; je crois bien que les inconnus aussi ont une vie. Je suis donc sorti de chez moi en me disant : si elle est là en train de fumer, elle sera l'héroïne de mon roman.

Mais l'inconnue n'était pas là. À une volute près, je serais devenu son biographe. À quelques mètres, je vis alors une femme âgée en train de traverser la rue, tirant un chariot violet. Mon regard fut happé. Cette femme ne le savait pas encore, mais elle venait d'entrer dans le territoire romanesque. Elle venait de devenir le sujet principal de mon nouveau livre (si elle acceptait ma proposition, bien sûr). J'aurais pu attendre d'être inspiré ou attiré davantage par une autre personne. Mais non, il fallait que ce soit *la première personne vue*. Il n'y avait aucune alternative. J'espérais que ce hasard organisé me mènerait à une histoire palpitante, ou vers un de ces destins qui permettent de comprendre certains enjeux essentiels de la vie. À vrai dire, j'attendais tout de cette femme.

3

Je me suis approché, m'excusant de la déranger. Je m'étais exprimé avec la politesse mielleuse de ceux qui veulent vous vendre quelque chose. Elle a ralenti le pas, surprise sûrement d'être ainsi abordée. J'ai expliqué que j'habitais dans le quartier, que j'étais écrivain. Quand on arrête une personne qui marche, il faut aller à l'essentiel. On dit souvent que les personnes âgées sont méfiantes, mais elle m'a immédiatement adressé un grand sourire. Je me suis senti suffisamment en confiance pour lui exposer mon projet :

« Voilà… J'aimerais écrire un livre sur vous.

— Pardon ?

— C'est vrai que ça peut paraître un peu étrange… Mais c'est une sorte de défi que je me suis lancé. J'habite juste ici, dis-je en désignant mon immeuble. Je vous passe les détails, mais je me suis dit que je voulais écrire sur la première personne que je croiserais.

— Je ne comprends pas.

— Est-ce qu'on pourrait prendre un café maintenant pour que je vous expose la situation ?

— Maintenant ?

— Oui.

— Je ne peux pas. Je dois remonter chez moi. J'ai des choses à mettre au congélateur.

— Ah oui, je comprends», répondis-je en me demandant si ces premières répliques ne prenaient pas un tour absolument pathétique. Je m'étais senti excité par mon intuition, mais voilà que j'en étais déjà à écrire sur la nécessité de ne pas recongeler des produits décongelés. Quelques années après avoir obtenu le prix Renaudot, je sentais le frisson du déclin me parcourir le dos.

Je lui ai proposé de l'attendre au café, au bout de la rue, mais elle a préféré que je l'accompagne. En me demandant de la suivre, elle m'offrait d'emblée sa confiance. À sa place, je n'aurais jamais laissé un écrivain entrer chez moi aussi facilement. Surtout un écrivain en manque d'inspiration.

4

Quelques minutes plus tard, j'étais assis tout seul dans son salon. Elle s'affairait dans la cuisine. De manière totalement inattendue, une vive émotion me traversa. Mes deux grands-mères étaient mortes depuis de nombreuses années ; cela faisait si longtemps que je ne m'étais pas ainsi retrouvé dans le décor de la vieillesse. Il y avait tellement de points communs : la toile cirée, l'horloge bruyante, les cadres dorés entourant les visages des petits-enfants. Le cœur serré, je me souvins de mes visites.

On ne se disait rien, mais j'aimais nos conversations.

Mon héroïne est revenue avec un plateau sur lequel étaient disposés une tasse et des petits gâteaux. Elle n'a pas pensé à se servir quoi que ce soit. Pour la rassurer, j'ai évoqué ma carrière en quelques mots, mais elle ne semblait pas inquiète. L'idée que j'aurais pu être un homme dangereux, un imposteur ou un manipulateur ne lui avait pas effleuré l'esprit. Plus tard, je lui ai demandé ce qui m'avait valu cet excès de confiance. « Vous avez une tête d'écrivain », avait-elle répondu, me laissant un peu perplexe. Pour moi, la plupart des écrivains ont l'air libidineux ou dépressifs. Parfois les deux. Je possédais donc, pour cette femme, la tête de mon emploi.

J'étais si impatient de découvrir mon nouveau sujet de roman. Qui était-elle ? Avant toute chose, il me fallait son nom de famille :

« Tricot, annonça-t-elle.

— Tricot, comme un tricot ?

— Oui voilà, c'est ça.

— Et votre prénom ?

— Madeleine. »

Ainsi, j'étais en présence de Madeleine Tricot. Un nom qui me laissa dubitatif pendant quelques secondes. Jamais je n'aurais pu l'inventer. Il m'est arrivé de passer des semaines à chercher le nom ou le prénom d'un personnage, résolument persuadé de l'influence d'une sonorité sur un destin. Cela m'aidait même à comprendre certains tempéraments. Une Nathalie ne pouvait pas se comporter comme une Sabine. Je pesais le pour et le contre de chaque appellation. Et voilà que, sans tergiverser, je me retrouvais avec Madeleine Tricot. C'est l'avantage de la réalité : on gagne du temps.

En revanche, il y a un désavantage de taille : le manque d'alternative. J'avais déjà écrit un roman sur une grand-mère et les problématiques de la vieillesse. Allais-je à nouveau être soumis à ce thème ? Cela ne m'excitait pas vraiment, mais je devais accepter toutes les conséquences de mon projet. Quel intérêt, si je commençais à biaiser avec la réalité ? Après réflexion, j'ai songé que ce n'était pas un hasard si j'avais fait la rencontre de Madeleine : avec leur sujet de prédilection, les écrivains ont un rapport proche de la condamnation à perpétuité[1].

5

Madeleine habitait le quartier depuis quarante-deux ans. Je l'avais peut-être déjà croisée, ici ou là, mais son visage ne me disait rien. Cela dit,

1. Certes, en sortant dans le 17e arrondissement de Paris à 10 heures du matin, j'avais peu de chances de tomber sur une go-go danseuse.

j'étais encore relativement nouveau dans le coin, mais j'aimais arpenter les rues pendant des heures pour réfléchir. Je faisais partie de ceux pour qui l'écriture s'apparente à une forme d'annexion d'un territoire.

Madeleine devait connaître les histoires de bien des habitants du quartier. Elle avait dû voir des enfants grandir et des voisins mourir ; elle devait savoir derrière quel nouveau commerce se cachait une librairie disparue. Il y a sûrement un plaisir à passer une vie entière dans le même périmètre. Ce qui m'apparaissait comme une prison géographique était un monde de repères, d'évidences, de protections. Mon goût immodéré pour la fuite me poussait souvent à déménager (j'étais également du genre à ne jamais ôter mon manteau dans un restaurant). À vrai dire, j'aimais m'éloigner du décor de mes souvenirs, contrairement à Madeleine qui devait chaque jour marcher sur les traces de son passé. Quand elle passait devant l'école de ses filles, elle les revoyait peut-être courir vers elle, se jetant à son cou en criant « maman ! ».

Si nous n'étions pas encore dans l'intime, notre discussion avait démarré avec une grande fluidité. Au bout de quelques minutes, nous avions tous deux, me semble-t-il, oublié le contexte de notre rencontre. Cela confirme une évidence : les gens aiment parler d'eux. Un être humain est un condensé d'autofiction. Je sentais Madeleine illuminée à l'idée que l'on puisse s'intéresser à elle.

Par quoi allions-nous commencer ? Je ne voulais surtout pas l'orienter dans la hiérarchie de ses souvenirs. Elle finit par me demander :

« Je dois vous parler de mon enfance, d'abord ?

— Si vous voulez. Mais vous n'êtes pas obligée. On peut commencer par d'autres périodes de votre vie.

— … »

Elle parut un peu perdue. Il était préférable que je la guide dans le dédale du passé. Mais, au moment où j'allais commencer l'entretien, elle tourna la tête vers un petit cadre.

« On pourrait parler de René, mon mari, dit-elle. Il est mort depuis longtemps… Alors ça lui fera plaisir qu'on parle de lui en premier.

— Ah d'accord… », répondis-je en notant au passage qu'en plus des lecteurs vivants, il me faudrait aussi contenter les morts.

6

Madeleine prit alors une grande inspiration, telle une plongeuse en apnée, exactement comme si les souvenirs se cachaient au fond de l'eau. Et le récit débuta. Elle avait rencontré René à la fin des années 60, dans un bal du 14-Juillet se déroulant dans une caserne de pompiers. Avec une amie, elle s'était mis en tête de partir en quête d'un bellâtre avec qui danser. Mais c'était une silhouette plutôt chétive qui s'était approchée d'elle. D'emblée,

Madeleine avait été touchée par cet homme, dont elle sentait qu'il n'était pas coutumier d'aborder une inconnue. Ce qui était vrai. Il devait avoir éprouvé quelque chose de rare, dans son corps ou son cœur, pour oser se lancer ainsi.

René lui raconta plus tard les raisons de son trouble. Selon lui, elle ressemblait trait pour trait à l'actrice Michèle Alfa. Tout comme moi, Madeleine ne la connaissait pas. Il faut dire qu'elle n'a pas fait beaucoup de films après la guerre. En découvrant sa photo dans une revue, la jeune femme avait été surprise : la ressemblance était vague. On pouvait parler au mieux d'un air un peu similaire. Mais pour René, Madeleine était quasiment le sosie de cette obscure comédienne. Son émotion prenait source dans une autre dimension. Cela l'avait renvoyé à un épisode terrifiant de son enfance, pendant la guerre. Sa mère faisait partie d'un réseau de résistance. Poursuivie par la milice, elle avait caché son petit garçon dans un cinéma[1]. La peur au ventre, René s'était comme cramponné aux visages sur l'écran. Celui de Michèle Alfa était devenu une inoubliable puissance protectrice et rassurante. Et voilà que, un peu plus d'une vingtaine d'années plus tard, il retrouvait une de ses expressions dans le regard d'une femme

1. Cette histoire me rappela le réalisateur Claude Lelouch, qui a souvent raconté que sa propre mère le laissait des journées entières dans les salles obscures pendant l'Occupation, et qu'ainsi était née sa vocation.

croisée au bal des pompiers. Madeleine lui avait demandé le titre du film. *L'aventure est au coin de la rue* avait répondu René. J'ai caché ma stupéfaction : il y avait là un étrange clin d'œil à mon projet.

Madeleine avait alors 33 ans. Toutes ses amies étaient déjà mariées et mères de famille. Elle se disait qu'il était peut-être temps pour elle de « se ranger ». Elle précisa qu'elle employait ce mot en référence au livre de Simone de Beauvoir *Mémoires d'une jeune fille rangée*, paru quelques années plus tôt. Elle ne voulait pas manquer de considération à l'égard de son mari, mais préférait me dire la vérité : à l'époque, elle avait davantage écouté le souffle de la raison que celui de la passion. C'était si plaisant d'être aimée par un homme rassurant et sûr de ce qu'il éprouvait ; si plaisant qu'on pouvait en oublier la vérité de ses propres sentiments. Avec le temps, la délicatesse de René avait triomphé. Il n'y avait plus le moindre doute : Madeleine l'avait aimé. Mais elle n'avait jamais éprouvé pour lui le ravage de son premier amour.

*

Elle s'arrêta un instant, réticente sans doute à l'idée d'évoquer cette histoire qui semblait douloureuse. Certaines souffrances ne cicatrisent jamais, ai-je pensé. J'étais évidemment intrigué par cette allusion à une passion vraisemblablement tragique. Pour mon roman, cela me paraissait être une piste à considérer sérieusement. Elle se confiait déjà si spontanément que je ne voulais pas la brusquer en lui demandant de développer ce qu'elle venait d'esquisser. Elle y reviendrait plus tard. Et si je ne peux dévoiler dès maintenant les éléments que j'apprendrais par la suite, je peux déjà annoncer que cette histoire, par sa nature intense, aura une place déterminante dans le récit.

*

Pour l'instant, restons avec René. Après la rencontre au bal, ils s'étaient promis de se revoir rapidement. Quelques mois plus tard, ils étaient mariés ; et quelques années plus tard, ils étaient parents. Stéphanie était née en 1974, et Valérie en 1975. À cette époque, il était plutôt rare de devenir mère aux alentours de la quarantaine. Madeleine avait repoussé cette échéance surtout pour des raisons professionnelles. Si elle avait pris du plaisir à la maternité, elle avait plutôt mal vécu ses conséquences sur sa carrière. À ses yeux, c'était une injustice envers les femmes imposée par une société d'hommes. « Et mon mari, lui, travaillait de plus en plus. J'étais très souvent seule avec les petites… », dit-elle alors avec ce qui paraissait encore être de l'amertume. Mais il semblait assez vain de faire des reproches à un mort.

René ne s'était sûrement pas rendu compte de la frustration de sa femme. Il était fier de son parcours à la RATP. De simple conducteur de métro, il avait fini sa carrière à l'un des plus hauts postes à responsabilités de la Régie. C'était une seconde famille pour lui, si bien que la retraite tomba comme un couperet. Madeleine s'était trouvée face à un époux totalement désemparé. « Il n'a pas supporté de ne rien faire », répéta-t-elle trois fois, de plus en plus doucement. Cela faisait déjà vingt ans qu'il était parti, mais notre conversation offrait au passé l'éclat d'une émotion toute récente. René se levait le matin tel un combattant sans guerre. Sa femme le poussait à reprendre des études, à exercer quelque activité de bénévolat, mais il déclinait toute proposition. À vrai dire, il avait été profondément meurtri par cette façon dont tous ses anciens collègues s'étaient progressivement détournés de lui. Il s'était rendu compte de l'absolue vacuité des relations qu'il avait nouées, et tout lui paraissait absurde désormais.

Un cancer du côlon avait accompagné cette déchéance ; une façon de pouvoir mettre un mot sur un état diffus. Le jour de son enterrement, à peine un an après sa retraite, de nombreux cadres et employés de la RATP étaient venus. Madeleine les avait regardés un par un, sans rien dire. Certains prononcèrent quelques mots lors de la cérémonie, on vanta un homme droit et chaleureux, mais il n'était plus là pour entendre ces témoignages tardifs d'une amitié indélébile. Sa femme trouva leur attitude franchement pathétique, mais ne dit rien. Elle se laissa plutôt aller au souvenir de ce qu'il y avait eu de doux entre eux, cette forme d'entente paisible. Ils avaient accompli tant de choses ensemble, avaient éprouvé des joies et des peines, et tout était fini à présent.

Madeleine avait parlé de René d'une manière si vivante (on aurait presque pu croire qu'il allait nous rejoindre dans le salon). C'était à mes yeux la plus belle des postérités ; continuer à exister dans un cœur. Je me suis demandé comment on pouvait survivre à l'amour d'une vie. Passer quarante ou cinquante ans avec une personne, avoir parfois le sentiment qu'elle est votre reflet dans le miroir, et puis un jour il n'y a plus rien. On doit avancer sa main pour toucher du vent, ressentir d'étranges mouvements dans le lit, ou prononcer des mots qui se transforment en conversation orpheline. On ne vit pas seul mais avec une absence.

7

Madeleine finit par me dire : « On pourra peut-être aller lui rendre visite au cimetière ? » J'ai poliment esquivé, prétextant que je ne me sentais pas légitime (chacun ses excuses). Je ne voulais surtout pas me laisser embarquer dans l'écriture d'un roman qui servirait d'arrosoir pour les fleurs d'une tombe. Je préférais me consacrer aux vivants. J'en ai profité pour évoquer ses filles. Le prénom de Stéphanie a immédiatement provoqué un malaise. Je ne pouvais pas interroger Madeleine frontalement ;

je devais être patient, certain que je parviendrais bientôt à éclaircir toutes les zones d'ombre.

Stéphanie était partie vivre à Boston, après avoir rencontré un Américain. On pouvait presque penser, en écoutant Madeleine, que sa fille aurait épousé n'importe quel homme pourvu qu'il ne fût pas français. D'ailleurs, elle ne semblait pas savoir grand-chose de cet Américain. Les rares fois où Madeleine l'avait vu, il avait toujours été incroyablement souriant. Mais selon elle, ce sourire était comme *une fissure sur un mur*, on ne voyait que ça, si bien qu'on oubliait le mur, et la maison autour. Il travaillait dans une banque, mais Stéphanie ne rentrait jamais dans le détail. Elle échangeait avec sa mère par Skype, et cela désespérait Madeleine d'entretenir ce type de conversation virtuelle avec sa fille et ses deux petites-filles. C'était tout de même compliqué pour les serrer dans ses bras. Et puis, il y avait autre chose : la langue. Elle ne comprenait pas pourquoi Stéphanie ne parlait pas français avec ses enfants. Madeleine entendait ainsi à travers l'écran de l'ordinateur des « Hello Mamie » et des « Happy Birthday Mamie » le jour de son anniversaire. C'était comme une barrière supplémentaire que sa fille construisait.

Heureusement, Valérie habitait le quartier et passait la voir presque tous les jours. Madeleine se mit à sourire : « Il y en a une que je ne vois jamais, et l'autre que je vois un peu trop ! » Même si ce n'était pas hilarant, je considérai comme une bonne nouvelle le fait que mon héroïne soit dotée d'un peu d'humour ou d'autodérision. Mais je trouvais admirable qu'une femme de mon âge passe si souvent voir sa mère, et s'enquérir de ses besoins. Valérie devait être le genre de personne sur qui l'on peut compter, qui devait « prendre sur elle », comme on dit communément pour évoquer ces vies truffées de contraintes familiales et d'abnégation permanente. Simple supposition, d'autant que Madeleine préféra ne pas s'étendre plus longuement sur ses filles. J'avais clairement ressenti une séparation entre les deux sœurs. J'apprendrais plus tard qu'elles ne se parlaient plus, et les raisons d'un conflit qui remontait à de nombreuses années.

8

J'étais heureux de ces premières confidences. Mon roman avançait au-delà de mes espoirs. Mais je ne devais pas crier victoire. Je me méfie de la facilité. Toute évidence comporte un avant-goût de désastre. Cette certitude fait de moi un pessimiste, sûrement ; c'est ainsi, je préfère anticiper les déceptions. J'espérais tellement que la vie de Madeleine ne se termine pas en un énième roman inachevé.

Pour l'instant, rien ne le laissait craindre. Elle se livrait spontanément, et je la laissais dériver dans ses souvenirs sans jamais la guider. Ayant chassé rapidement le sujet de ses filles, elle en vint naturellement à parler de sa vie professionnelle. Elle avait travaillé comme couturière, notamment auprès de Karl Lagerfeld. Aussitôt, je l'ai interrompue ; ne trouvait-elle pas étrange de s'appeler Tricot quand on exerce une telle activité ? Il y avait comme une prédestination, non[1] ? On avait dû lui rabâcher cela toute sa vie : je n'étais pas très fin dans mes relances. Elle me précisa qu'il s'agissait du nom de son mari, et qu'elle avait déjà commencé sa carrière au moment de leur rencontre. Mais c'était vrai, René lui avait dit lors de leur deuxième rendez-vous : « Vous êtes couturière, et je m'appelle Tricot. Nous sommes faits l'un pour l'autre. » Lui non plus ne devait pas toujours être très inventif dans ses répliques. Mais Madeleine avait souri, et il arrive qu'on engage une vie entière sur un sourire.

J'en ai profité pour lui demander ce qu'elle pensait de Lagerfeld. « C'était l'homme le plus simple qui soit, répondit-elle. Aucune complexité. On pouvait tout comprendre immédiatement. » Ce n'était pas vraiment l'image que j'avais de lui. Je me suis laissé aller furtivement à une digression mentale : cette information était très positive pour

1. C'est ce qu'on appelle un aptonyme : quand un nom possède un sens lié à la personne qui le porte. Sur Internet, on trouve toute une liste de célèbres aptonymes, allant du danseur Benjamin Millepied au philosophe Robert Grossetête.

mon livre. Si jamais Madeleine en venait à être un peu décevante, d'un point de vue romanesque s'entend, je pouvais tout à fait distiller ici ou là des éléments croustillants sur le grand créateur allemand. Lagerfeld avait tout d'un sujet de secours excitant.

Elle évoqua avec émerveillement ce qui semblait avoir été les plus belles années de sa vie ; les années Chanel. Elle ne pourrait jamais oublier l'arrivée de Lagerfeld, à un moment où la maison avait perdu de son prestige. Il avait même été question de fermeture. Quand le couturier s'était présenté pour la première fois, il avait traversé en silence tous les étages. Une errance qui parut interminable à tous. Nul ne savait ce qu'il allait faire ; allait-il accepter la proposition de prendre en charge les collections ? Il observa avec attention les tissus, s'imprégna de l'atmosphère du lieu. Madeleine l'avait trouvé particulièrement beau. Contrairement à ce qu'on pouvait croire, ce n'était pas un homme rapide. Lui qui adorait les livres marchait comme on tourne les pages d'un roman. Il avait fini par s'approcher d'elle et lui poser quelques questions ; depuis quand était-elle là ? Que pensait-elle de l'entreprise ? Comment voyait-elle l'avenir ? C'était cette simplicité qu'elle n'avait jamais oubliée. Celle de prendre le temps de la réflexion, et d'écouter les êtres en présence. Le soir même, il était revenu avec quelques croquis. Il n'avait pas dit oui, l'accord était implicite. Et c'est ainsi qu'était né l'incroyable second souffle de Chanel.

Madeleine avait 50 ans, ses filles devenaient adolescentes et leur éducation moins dévorante, elle pouvait s'impliquer comme jamais dans son travail. Elle aimait l'excitation des défilés, où toute l'équipe s'affairait dans l'hystérie des coulisses ; c'était la grande époque d'Inès de La Fressange, femme adorable et élégante, selon Madeleine. « Elle est même venue à mon pot de départ, ce n'est pas rien, quand même... » Encore une fois, Madeleine parut émue à l'évocation du passé. Tout lui semblait si proche ; il y a des époques lointaines qu'on a l'impression de pouvoir toucher en tendant la main.

Elle sourit quand elle évoqua les excès de ce métier. Chaque collection prenait des proportions démentes avec ce sentiment de pouvoir inventer une époque avec un morceau de tissu. Cela rendait chacun un peu fou. Elle se souvint de tant de querelles qui semblaient futiles avec le recul ; des broutilles entre ignorants de l'éphémère : ils étaient maintenant à égalité sous terre. L'évocation de ce passé fiévreux ramena, par ricochet, Madeleine à un quotidien dénué de projets. Ma présence allait peut-être donner une raison un peu différente à ses heures. Elle semblait en tout cas heureuse de mon enthousiasme.

Puis, elle se mit à faire des pauses, à se montrer moins précise, à répéter les mêmes anecdotes. C'était sans doute la fatigue de parler depuis plus de deux heures. Je ne devais pas épuiser ma source.

J'ai proposé de la laisser se reposer, mais elle me pria de rester encore un instant : sa fille allait arriver.

9

Valérie était exactement telle que je l'avais imaginée. Je n'avais vu aucune photo d'elle, mais, en écoutant Madeleine, j'avais dessiné une silhouette dans mon esprit qui se révélait ressemblante. C'était une femme plutôt élégante, mais on pouvait percevoir comme une lassitude dans son apparence. Cela dit, son attitude a dû influer sur ma première impression. Elle se montra d'emblée méfiante à mon égard, laissant sans discrétion la suspicion se promener dans son regard. C'était compréhensible : sa mère avait fait monter chez elle un inconnu qui la harcelait de questions. Valérie me prenait vraisemblablement pour un escroc, ce qui en soi n'était pas si éloigné que ça du métier d'écrivain.

Elle me demanda à nouveau :

« Vous vous êtes rencontrés dans la rue, et ma mère vous a proposé de venir boire un thé chez elle ?

— Oui c'est ça.

— Et ça vous arrive souvent, de monter comme ça chez les vieilles dames ?

— Je vais tout vous expliquer. Je suis écrivain… »

Valérie s'approcha de sa mère :
« Ça va maman ?
— Très bien », répondit Madeleine avec un grand sourire dont l'intensité sembla surprendre sa fille.

Pour tenter d'apaiser l'atmosphère, je saisis mon nom sur un moteur de recherche et tendis mon téléphone à Valérie. Elle put constater que je ne mentais pas, que j'avais publié déjà de nombreux livres, dont certains avaient rencontré quelque succès. Profitant de cette image nouvellement positive, je lui expliquai à nouveau le pourquoi de ma présence. Interloquée, elle répondit :
« Un projet littéraire ? Ma mère… un projet littéraire ?
— Oui.
— Ma mère ? Un projet littéraire ?
— C'est une idée un peu particulière, je l'admets… Mais j'ai décidé d'arrêter la première personne que je croiserais dans la rue… et d'écrire sur elle.
— Et c'est tombé sur ma mère ?
— Oui. Je me suis dit que n'importe quelle vie pouvait être passionnante.
— Sûrement. Oui, sûrement. Mais ça va intéresser qui les histoires de ma mère ? Même moi qui suis sa fille, ça m'arrive de décrocher.
— Croyez-moi, ce sera fort. Elle m'a parlé de votre père, de votre sœur… de Lagerfeld…
— Ah bon, elle a dit quoi sur ma sœur ?
— Vous voyez… simplement… cette façon que

vous avez de me poser la question… de manière un peu vive… me laisse à croire que…

— Ah, j'ai compris. Votre roman, c'est pour déterrer les histoires de famille. Tout ce qui fait mal.

— Mais non… je n'irai jamais contre votre volonté.

— C'est ce qu'ils disent tous. Je ne lis pas beaucoup de romans contemporains, mais je vois bien qu'écrire est souvent un moyen de régler ses comptes.

— …»

Je ne savais que répondre. Elle n'avait pas tort. Les romans se vendent de moins en moins, et cela accentue forcément l'attirance des éditeurs pour les polémiques et les déballages scabreux. Était-ce une tentation pour moi aussi ? Je ne pouvais nier que j'attendais de mon héroïne quelques secrets de famille qui donnent envie de tourner les pages. Sous mes airs passionnés par la vie d'une grand-mère, je n'étais qu'un vampire avide de désastre. Soyons francs : le bonheur n'intéresse personne.

« Vous ne dites rien ? reprit Valérie.

— Pardon, pardon… j'étais en train de réfléchir. Je comprends tout à fait votre sentiment. Vous vous dites que ce qui va m'intéresser, ce sont les douleurs. Je préfère être honnête avec vous : je ne peux rien vous garantir. Votre mère a accepté de me parler, et je dois être libre dans mes retranscriptions. Mais elle n'est pas obligée de tout me dire…

— Vous savez très bien comment ça va se passer. Vous allez la mettre en confiance, elle est âgée, elle ne se rend pas compte de tout…

— Pourquoi tu dis ça ? intervint alors sèchement Madeleine.

— Pardon maman. Ce n'est pas ce que je voulais dire. Je dois juste vérifier ce qui motive monsieur.

— Encore une fois, je comprends vos réticences, dis-je. Mais mes intentions ne sont pas mauvaises… »

Valérie me fixa en silence, avant de me faire signe de la suivre dans la cuisine. « On revient tout de suite », dit-elle à sa mère, qui parut à peine choquée d'être ainsi écartée d'une conversation qui la concernait. Avec l'âge, cela devient sûrement une habitude, on parle de vous comme si votre avis n'avait pas d'importance. En suivant Valérie, j'ai repensé à sa véhémence. Pourquoi avait-elle affirmé : « elle ne se rend pas compte de tout… » ? On aurait dit qu'elle avait peur de quelque chose, peur que sa mère me révèle par inadvertance des choses trop intimes ou dérangeantes.

Une fois dans la cuisine, elle se mit à parler tout bas. Visiblement gênée, elle enchaîna quelques phrases de précautions d'usage. Avant d'énoncer que mon projet avec sa mère se révélerait sans doute compliqué, car elle perdait la mémoire. Je me doutais bien qu'avec l'âge la précision du souvenir s'effaçait un peu. Mais Valérie ajouta :

« Elle souffre d'un début d'Alzheimer. C'est encore gérable, mais je vois au jour le jour que c'est de plus en plus difficile, qu'elle oublie des moments de sa vie, des prénoms... » Je n'en avais rien décelé. Deux heures durant, Madeleine avait navigué dans sa vie avec une clarté totale. Valérie évoqua la possible stimulation d'une première rencontre ; comme ces séances initiales chez le psy qui paraissent extraordinaires : on libère tout dans un soulagement extatique, et puis on se rend compte avec le temps qu'on s'enfonce davantage qu'on ne s'élève.

Madeleine avait semblé heureuse d'aller chercher les souvenirs au fond de sa mémoire, comme pour se prouver à elle-même qu'elle était un roman dont elle connaissait chaque page.

« Je pense que mon projet ne pourra que lui faire du bien, me suis-je permis de dire à Valérie.

— Je n'en doute pas. Et il est évident que ce sera intéressant de parler avec vous, mais j'ai peur qu'au bout d'un moment elle se retrouve face à ses propres incapacités. Vous comprenez mon angoisse ? Pour l'instant ma mère va bien, elle ne sait pas qu'elle souffre des premiers symptômes d'Alzheimer. Je n'ai juste pas envie que votre projet lui fasse du mal... »

À cet instant, cette femme que je ne connaissais pas a cessé de parler, comme rattrapée par l'émotion. Je l'avais trouvée suspicieuse, et même un peu agressive, mais je comprenais maintenant qu'elle défendait sa mère ; elle la défendait comme on défend un territoire attaqué par l'ennemi, et grignoté chaque jour davantage. Je lui ai adressé un sourire, un peu compassionnel ; mais j'avais honte de ce sourire, car c'était un sourire menteur. La vérité était que je pensais à mon roman. Comme tout écrivain. Il n'y avait que ça qui comptait. Je me suis dit : ton projet est d'arrêter une personne pour écrire sur elle, et tu tombes sur quelqu'un qui perd la mémoire. L'ironie était trop forte. Mais je me suis aussitôt repris ; il serait peut-être magnifique d'écrire sur la mémoire qui s'effrite, je pouvais laisser des pages blanches, des chapitres infirmes.

J'ai décidé alors que j'allais espacer les visites ; ne pas fatiguer mon héroïne. Je pouvais simplement passer du temps avec elle, sans forcément être dans la rentabilité. Des promenades dans le quartier ou des courses au supermarché ; des instants de la vie quotidienne ; tout pouvait être intéressant. Valérie interrompit ma divagation :

« Bien sûr que je trouve ça formidable que vous écriviez sur ma mère. Je trouve ça un peu fou, mais formidable. Je le vois comme un cadeau pour mes enfants aussi, mais…

— Mais quoi ?

— Je voudrais vous proposer quelque chose.

— Oui, dites-moi.

— J'imagine que, si vous écrivez sur ma mère, vous allez vouloir aussi m'interroger.

— Oui, probablement.

— Dans ce cas-là, vous pourriez aussi écrire sur moi. Enfin, pas que sur moi, mais sur toute ma famille. Mon mari, mes enfants.

— Ce n'est pas vraiment comme ça que je voyais les choses…

— Votre projet, c'est bien de suivre une personne réelle ?

— Oui.

— Rien ne vous empêche d'élargir ce projet à ses proches. Je ne sais pas si nous serons intéressants, mais il y aura toujours des choses à raconter.

— C'est certain, mais…

— Écoutez, je vous propose cela pour être arrangeante. Je n'ai pas envie de vous dire d'aller trouver quelqu'un d'autre dans la rue.

— …»

Elle s'est arrêtée un instant, puis a repris :

« J'ai vu que votre présence lui a fait du bien. Je l'ai vu tout de suite en arrivant. Mais mon intuition me pousse à vous faire cette proposition. Je ne veux pas que ma mère sente que tout votre projet repose sur elle. Cela me fait peur.

— …»

Je ne savais que penser de sa proposition. Je la voyais comme une infidélité à ma première intuition. Mais mon projet était de me soumettre au hasard, et rien ne m'empêchait de continuer à suivre ce hasard. Valérie vanta un moment les avantages de son offre, et je compris pourquoi elle agissait ainsi. Elle ne voulait pas entraver une aventure qui, vu son sourire, avait enthousiasmé sa mère. Mais elle souhaitait alléger un dispositif qui risquait d'être contraignant pour une mémoire vacillante. Par ailleurs, il semblait que je n'avais pas vraiment le choix.

Nous sommes retournés dans le salon, et Valérie a annoncé : « Tout est arrangé maman. Un écrivain va écrire ta vie ; c'est beau, tout de même. Et il va nous suivre aussi. D'ailleurs, je l'embarque ce soir pour dîner à la maison… » C'était donc bien ça, je n'avais pas le choix. Mais c'était plutôt reposant d'avoir des personnages qui prennent en charge le récit.

10

C'est ainsi que je me suis retrouvé à dîner dans une famille que je ne connaissais pas. Moi qui évitais toutes les invitations et autres situations sociales inconfortables, j'étais au cœur d'une action hautement improbable.

En me présentant, Valérie a annoncé à son mari et à ses enfants que j'allais dîner avec eux dans le but d'écrire un livre. Leurs regards révélaient une sorte de sidération. Une jeune fille, que l'on m'avait présentée comme s'appelant Lola, a marmonné : « C'est quoi ce nouveau délire de maman ? » Ce à quoi son frère a répondu : « Je préférais quand elle faisait de la poterie. » Leur mère les coupa d'un :

« Je vous entends ! » Patrick, le mari, ne dit rien. Il aurait pu être chaleureux, me demander ce que je voulais boire, trouver la situation cocasse, mais non, il avait tout l'air d'un homme qui subit une lubie de sa femme. Il arborait une petite moue dubitative, destinée à montrer à Valérie qu'il acceptait, pour lui faire plaisir, une situation absurde. Mais elle savait être convaincante ; en quelques heures, elle était devenue l'ambassadrice de ma quête littéraire.

Quand nous fûmes tous à table, il y eut un blanc. Tout le monde attendait que je parle, sûrement, que je pose des questions. J'ai fini par me présenter en quelques mots, avant de balbutier que j'étais surtout là pour les écouter. Mais personne ne voulait parler. Valérie, visiblement gênée par l'attitude des siens, tenta de détendre l'atmosphère : « C'est une situation intimidante ! » J'ai fait une sorte de signe rassurant, afin de dire que rien ne pressait. Je comprenais tout à fait ce temps d'adaptation, et peut-être devais-je gagner leur confiance avant toute confidence.

Mon attention s'est alors attardée sur Patrick. Il avait l'air d'un enfant qui n'avait cessé de devoir s'endurcir. Il semblait un peu plus âgé que Valérie ; en réalité, ils étaient nés la même année. Ils s'étaient rencontrés sur les bancs de la fac. Ils s'étaient plu d'une manière assez instinctive mais on ne pouvait pas parler de coup de foudre. Sans minimiser quoi que ce soit, il me semble qu'on peut évoquer : un amour raisonnable. Pour Patrick, ce fut sa première grande histoire. Avant Valérie, il avait plutôt été rejeté par les filles, une sorte d'adolescence un peu ingrate, mais je n'en saurais pas plus ; lors de nos échanges futurs, il éviterait d'aborder cette période complexe. Pourtant, je sentais bien que le cœur de sa personnalité, ce manque de confiance en lui, s'était construit là, entre 13 et 16 ans, dans ce sentiment d'évoluer en marge des excitations affectives. Il suffit parfois de quelques échecs pour devenir à jamais insensible au succès.

Acculé par un énième regard de sa femme, Patrick n'eut d'autre choix que de parler. Au lieu de raconter son enfance ou un quelconque souvenir, il préféra se lancer dans le récit de sa journée. Il travaillait pour une compagnie d'assurances depuis dix-sept ans. J'essayais d'imaginer ce que pouvait bien représenter une vie aussi linéaire, aller tous les jours au même endroit, croiser les mêmes personnes, et avoir les mêmes conversations devant des machines à café qui offraient également du potage. Il devait y avoir quelque chose de sécurisant à traverser la vie professionnelle ainsi. À vrai dire, Patrick se retrouvait dans une inquiétante zone de turbulences. Depuis quelques mois, on avait envoyé dans sa structure un nouveau directeur. Jean-Paul Desjoyaux était la caricature d'un mercenaire de la rentabilité. Son but était de tout vérifier en permanence. Pour être plus clair : il traquait les moindres erreurs qui lui permettraient de licencier sans indemnités, et n'hésitait pas à pousser les employés à se dénoncer les uns les autres.

Ce matin, Desjoyaux l'avait convoqué pour lui proposer un rendez-vous dans trois jours. Quel supplice. Pourquoi ne lui avait-il pas signifié immédiatement ce qu'il voulait lui dire ? Il allait passer les jours suivants avec une boule au ventre. Desjoyaux n'avait rien laissé percevoir dans son regard, un visage suisse. Le degré suprême du harcèlement : cette façon froide et presque souriante de commettre un meurtre salarial. Il y avait forcément du sadisme dans cette attitude ; il était bien conscient, vu le contexte général, qu'il ferait souffrir un employé en lui annonçant qu'il le verrait trois jours plus tard ; pire, il avait ajouté qu'il voulait *impérativement* le voir. Les mots ont un sens. Impératif veut dire que c'est majeur, déterminant ; cela sentait la condamnation.

Le soir de notre rencontre, Patrick dînait avec sa famille en se disant qu'il serait bientôt chômeur. C'était ce qui était arrivé à Lambert ; licencié du jour au lendemain. Réduction de personnel. « Ce n'est pas grave, lui avait-on dit. Vous êtes jeune, vous n'avez pas d'enfants, ça sera facile de rebondir. » Rien n'était facile aujourd'hui, et certainement pas de rebondir. Patrick avait croisé Lambert deux semaines auparavant, et il lui avait trouvé le visage creusé. Ce dernier avait fait comme si tout allait bien, mais à l'évidence ce n'était pas vrai. Patrick avait fait mine de croire au récit de

Lambert, pour ne pas le mettre dans l'embarras, mais il s'en voulait maintenant. Il aurait dû lui dire : « Écoute, ça se voit que tu ne vas pas bien. Prenons un café. Voyons ce qu'on peut faire. » Mais non, il n'avait rien dit. Il avait laissé Lambert s'engouffrer dans la bouche de métro, et se fondre dans la foule.

Patrick avait essayé de l'appeler, mais il était tombé sur un message disant que le numéro n'avait pas d'abonné. Dans quel cas cela arrivait-il ? Tout le monde voulait garder son numéro. Être joignable est le slogan de notre époque. Il n'avait pas dû payer ses factures, et sa ligne avait été résiliée. Il n'y avait pas d'autre explication. Patrick n'avait donc plus de moyen de le joindre, plus la possibilité d'échanger avec lui davantage que les banalités superficielles de deux anciens collègues qui se croisent dans la rue et se mentent avec force sourires. Voilà à quoi pensait Patrick. Peut-être serait-ce son tour dans trois jours. Peut-être perdrait-il lui aussi son numéro de téléphone. On ne pourrait plus le joindre. Dans trois jours, ce pervers de Desjoyaux lui expliquerait pourquoi il voulait *impérativement* le voir.

Bien sûr, certains de ces détails m'ont été racontés plus tard par Patrick. Mais lors de ce dîner, il s'est finalement beaucoup livré. Valérie semblait surprise, d'autant plus que les préliminaires de la soirée n'avaient en rien présagé de cela. Je n'avais décidément pas mesuré le besoin de chacun de se confier, d'exprimer ce qu'il retient dès qu'une oreille extérieure se propose de l'entendre. Mon rôle n'était ni de commenter ni de conseiller, tout du moins pour le moment. Je me contentais d'émettre quelques signes de compassion, avec la distance qu'il me faudrait pour retranscrire les choses sans être trop affecté. C'est sans doute cette attitude qui fit qu'il m'interrogea :

« Mais ça vous intéresse vraiment mes histoires avec Desjoyaux ?

— Oui, vraiment. Et je pense que ça passionnera les lecteurs. Nous avons tous autour de nous un Desjoyaux », dis-je de la manière la plus sérieuse qui soit.

Je le pensais. Non que nous ayons tous un patron psychopathe mais, pour moi, toutes les histoires se font écho. Je suis souvent surpris de constater à quel point les lecteurs se retrouvent dans les romans, y compris ceux dont les intrigues sont les plus dérangeantes. On traque partout les reflets de notre intimité. Alors oui, j'étais certain que ce Desjoyaux pourrait résonner tel un symbole de la maltraitance que chacun subit à un moment ou à un autre de son existence. Par ailleurs, on pouvait éprouver de l'empathie pour cet homme fragilisé, cet homme qui tentait de tenir debout face à une forme d'humiliation organisée. C'était en tout cas ce que je ressentais.

11

Patrick mit fin à son récit. Il avait beaucoup parlé, et je le remerciai. À nouveau, il y eut un blanc. Qui allait prendre en charge la suite de mon roman ? Pendant ce temps d'arrêt, j'ai pensé à *Six personnages en quête d'auteur* de Pirandello. J'aime cette idée d'inverser une situation de création, de la même manière qu'une couleur pourrait partir à la recherche d'un peintre. Comme mes personnages avaient un auteur à leur table, c'était à eux de continuer à m'alimenter.

Mon enthousiasme allait être refroidi par les enfants du couple. Ils ne me manifestaient pas le moindre intérêt. Nous vivons une époque dans laquelle tout paraît normal. Est-ce à cause de la télévision qui diffuse sans cesse des reportages *en immersion*, où l'on vit par procuration toutes sortes de situations improbables ? Cela va des policiers dans un camp de naturistes aux couples en crise sur une île déserte. Tout voir ou tout savoir aboutit peut-être à une baisse de la libido de curiosité ; viendra un temps où voyager aura perdu son charme à cause de Google Maps. J'y songeais en observant les visages passifs des deux adolescents. J'essayais d'imaginer l'effet produit sur moi si, quand j'avais leur âge, ma mère avait convié un écrivain à notre table ; je crois que j'aurais voulu en savoir plus sur lui, ses motivations, et que j'aurais même essayé de paraître intéressant (ce qui aurait été difficile vu le peu de confiance que j'avais en moi-même). J'étais surpris par leur attitude, même si je savais bien que l'adolescence est un âge où parfois le monde extérieur est une nature morte.

À 15 ans, Jérémie semblait porter un immense poids sur les épaules. Une impression accentuée par la lenteur avec laquelle il effectuait le moindre mouvement. Même mâcher semblait un marathon. C'était assez cliché en somme ; il paraissait parfaitement représentatif de son âge. Je commençais à me demander si le destin ne m'avait pas poussé vers des personnages tels que j'aurais pu les concevoir. Une grand-mère qui perd la mémoire, une femme un peu triste, un homme harcelé au travail, et voilà que j'avais un adolescent qui ne respirait pas l'épanouissement. Étaient-ils le fruit de mon imagination fatiguée ? Non, ils étaient bien réels.

Comment interrompre cette spirale négative qui entraînait mon esprit ? Il fallait croire en la force de la pensée positive. En se persuadant que des choses extraordinaires peuvent advenir, il arrive qu'elles se réalisent. Je suis fasciné par ceux qui avouent au cœur d'une vie épanouie : « Je crois en moi depuis toujours. Je savais que je réussirais... » Si la confiance en soi ne demeure pas la garantie du bien-être, elle est sûrement le terrain favorable à toute éclosion heureuse. Ainsi, je devais croire en mes personnages. Je devais me persuader que, malgré leur apparente banalité, surgiraient des vices captivants ou des actes inattendus qui rendraient leur existence palpitante. Malgré mon postulat de départ (« toute vie est passionnante »), j'attendais d'eux un supplément d'âme ; cela dit, il doit bien exister un lecteur ou une lectrice qui se passionne pour l'analyse des bâillements d'un adolescent parisien né en 2005 ; c'est sûrement une niche éditoriale, mais on dit bien qu'il y a un public pour tout.

*

Bien sûr, je pourrais modifier la réalité ; il serait facile d'ajouter ici ou là quelques péripéties impromptues ou de charmantes névroses. *La Promesse de l'aube* reflète-t-il l'exact portrait de la mère de Romain Gary ? L'auteur n'a-t-il pas grossi le trait en racontant l'inlassable et débordante affection de cette femme ? Cette folle passion pour son fils, cette façon de le positionner plus haut que les étoiles la rendent sublime et hautement romanesque. Il y a dans toute autobiographie la tentation de flirter un peu avec l'imagination.

*

Jérémie lut-il dans mon esprit inquiet ? J'en étais là de mes pensées quand il se redressa. Ce fut assez étrange de le voir se déployer ainsi sur sa chaise : il n'avait plus du tout la même allure, son regard aussi paraissait plus vif.

« C'est classe, on a un biographe officiel, dit-il.

— Merci, répondis-je, sans trop savoir si c'était un compliment ou juste un point de vue.

— Mais bon, j'aurais préféré Amélie Nothomb. »

Pour paraître décontracté, j'ai souri à cette saillie. C'était plutôt positif ; je tenais là un spécimen d'une catégorie en voie de disparition : un adolescent capable d'une référence littéraire. À vrai dire, cette percée sociable demeurerait unique dans la soirée. Il ne fallait pas trop en demander : une réplique par dîner, c'était déjà beaucoup.

Pourtant, ce n'était pas faute d'encouragement. Valérie poussait son fils à être un peu plus loquace. Il finit par balbutier qu'il était déçu de ne pas avoir de fiche Wikipédia à son nom pour éviter de devoir se présenter (tentative humoristique qui ne fut pas très payante car trop marmonnée). Écrasé par la pression maternelle, il lâcha, dans un ultime soupir, que sa couleur préférée était le bleu. J'ai à mon tour tenté d'être ironique en précisant à quel point cet élément coloré serait décisif dans ma narration ; trait d'humour qui se fracassa également dans cette belle atmosphère un peu froide. Mais ce n'était pas si grave ; je pouvais attendre que mes nouveaux personnages viennent vers moi, comme avec Madeleine ou Patrick. À vrai dire, cela m'arrive aussi avec la fiction. Je peux inventer des hommes ou des femmes qui n'ont aucun désir d'action. Je dois aussi subir leur volonté. Ou ce qu'on pourrait appeler : la mauvaise humeur de mon imaginaire.

12

Quelle aurait été la teneur de ce dîner sans ma présence ? Il me suffisait de contempler la grande télévision qui trônait dans le salon pour en avoir une idée. Je pénétrais dans une famille fatiguée, qui s'était laissée embarquer dans une routine certaine ; des passagers d'une même vie qui finissaient par se frôler sans se rencontrer. Si cette tragédie d'appartement était banale, elle n'en demeurait pas moins douloureuse. La vie ne serait-elle qu'une machine à éprouver de la lassitude ? J'essayais d'imaginer Valérie et Patrick s'aimant et faisant l'amour, voyageant et rêvant d'avenir, et heureux parents de deux petits enfants remplis de joie. Où étaient passées toutes ces images ? Je pouvais écrire sur ce monde englouti par le poids des années. Je vois toujours le passé sur le visage du présent ; je vois toujours l'enfant chez l'adulte, et l'éclat de la passion dans les ombres des couples qui s'ennuient. Malgré leur accueil réservé, ces gens-là me touchaient ; je ressentais leur fragilité, et elle faisait écho à des émotions que j'avais pu éprouver également. Nous étions unis dans la stupéfaction du quotidien essoufflé.

Si Valérie avait voulu m'inviter pour alléger la pression sur sa mère, elle avait dû aussi penser que ma présence insufflerait à sa famille une nouvelle énergie. Forcément, ils ne seraient pas insensibles à la cocasserie de la situation. Mais rien de tel, je demeurais un intrus. Je sentais bien que Valérie essayait de cacher sa déception. Son fils ne jouait pas le jeu. Quant à sa fille, elle savait d'emblée qu'elle ne ferait aucun effort. Elle me l'avait dit à voix basse dès mon arrivée : « Lola, c'est l'âge chiant. On ne peut plus rien partager avec elle. » Je ne peux pas dire qu'elle a été désagréable avec moi, mais tout simplement indifférente. Son visage entier respirait une folle envie d'ailleurs. Elle était là sans être là, si bien que j'eus comme l'impression de dîner face au *Carré blanc sur fond blanc* de Malevitch.

Elle était en première, et ne savait pas vraiment ce qu'elle voulait faire plus tard. Selon sa mère, c'était une source d'angoisse pour elle. Dès le premier soir, elle esquiva toute présentation en disant : « Je n'ai aucune envie que vous écriviez sur moi. C'est mon droit. » Voilà qui me donna immédiatement envie de creuser. Pendant le dîner, je l'observai à plusieurs reprises sans parvenir à me faire une opinion. Elle pouvait être triste, banale, intense, secrètement émerveillée, blasée, rêveuse, mélancolique, ambitieuse, créatrice, que savais-je encore ? Peut-être qu'elle hésitait elle-même ? Le destin, à son âge, a souvent l'allure d'un brouillon. Durant le dîner, elle me lança quelques regards qui pouvaient paraître un peu durs (« C'est qui celui-là ? »), mais je sentais chez elle une certaine douceur (« Il me fait de la peine avec son projet à la con »). Au fond, j'ai aimé me demander qui elle était, et comment elle évoluerait dans mon livre ; je n'avais pas d'angoisse particulière à l'idée de la découvrir au chapitre 45 ou 114. Elle avait tout d'une personnalité de milieu de roman ; tout à fait le genre à relancer une intrigue.

13

Ce dîner n'avait pas tenu toutes ses promesses, mais je ne devais pas attendre de chaque seconde vécue avec mes personnages de quoi nourrir la bête romanesque. C'était un projet qui devait s'épanouir au plus proche du réel, avec ce que cela pouvait comporter de silences et de moments non soumis à l'absolue performance narrative. Je pourrais décider d'élaguer plus tard les moments trop mous. Qui croirait au récit d'une vie perpétuellement palpitante ? Le plus souvent, dans notre quotidien, nous brodons des péripéties autour de l'ennui. Ainsi, je devais me satisfaire de ce qui avait été partagé et considérer ce début comme très prometteur. J'aimais d'ailleurs cette idée de *promesse*.

Au vu de la tournure du dîner, Valérie me proposa qu'on se retrouve plutôt pour déjeuner le lendemain. Elle serait plus libre pour me parler. Elle n'avait pas tort ; j'avais sous-estimé ce point essentiel jusqu'ici. Il était sûrement stérile de voir ensemble tous les protagonistes ; séparément, ils se livreraient plus volontiers ; à la manière de ces interrogatoires de police où l'on questionne les complices un à un pour éviter les interférences.

Je quittai donc la famille Martin. Oui, j'ai oublié de le préciser, c'est le nom de Patrick. Un nom très répandu en France ; je ne peux pas exactement calculer le pourcentage de chances que j'avais de tomber sur un Martin, mais il doit être assez important. Habituellement, dans mes romans, les personnages ont des noms plus alambiqués. J'adore glisser des K ; j'ai toujours l'impression qu'un K aidera mon héros à être palpitant. Alors, je ne peux pas le nier, j'ai considéré comme un signe inquiétant de me retrouver avec des Martin. Pouvait-on construire un bon roman sur des Martin ?

Pour me rassurer, je suis allé faire un tour sur Internet, et j'ai tapé leurs noms en entier. Je suis tombé sur une avalanche de Patrick Martin ou de Valérie Martin. C'est un élément qui m'a beaucoup plu. Tout d'abord, c'est un nom idéal pour ne jamais être retrouvé sur Facebook. Aucune chance qu'un psychopathe puisse déceler la trace d'une Valérie Martin qu'il aurait croisée en soirée. Il y a une grande force d'anonymat chez les Martin, ce qui leur confère forcément une capacité au combat pour exister dans la multitude. Ce sont les Chinois du nom. Et ça, c'est incontestablement romanesque.

J'ai voulu étudier quelques homonymes de mes personnages. Un peu pour savoir lequel d'entre eux parviendrait à s'extirper de la masse (chacun ses curiosités). Parmi les centaines de Patrick Martin, le plus visible était un grand patron. Et plus encore, il était carrément vice-président du Medef. C'est vrai que Martin, ça fait dirigeant. Ça doit parler aisément épargne salariale et plan social. Pour Valérie Martin, mon regard a été happé par une ostéopathe à Verrières-le-Buisson. Très rassurant, une Valérie Martin, pour une hernie discale. Pas du tout un nom à déplacer la mauvaise vertèbre. Certes, le côté Verrières-le-Buisson contribuait à cette image réconfortante. C'est si douillet comme nom de ville. On s'imagine aisément boire du thé au jasmin dans la salle d'attente de Valérie Martin. J'ai noté l'adresse pour mon prochain lumbago, avant de poursuivre mes recherches. Pour Jérémie Martin, il en était de même, on en trouvait tellement. J'ai finalement choisi un conseiller régional dans le Sud-Est, bras droit de la présidente. Décidément, que de postes de pouvoir chez les Martin. J'imaginais à quel point on pouvait compter sur celui-là. « Appelez Jérémie Martin. On a un problème avec le dossier des HLM de Marseille », devait adorer dire la présidente. « Mais madame, il est en vacances... » « Appelez-le, je vous dis ! » Comme elle avait raison. Jérémie Martin était tout à fait du genre à interrompre ses vacances. Il quitterait les Baléares aussitôt, ses dossiers sous le bras. Sa femme et ses trois enfants l'accompagneraient à l'aéroport pour lui dire au revoir à coups de mouvements de bras incroyablement simultanés. Une fois sur place, il dirait à la présidente : « C'est bon, je m'en occupe. » Et tout le monde se sentirait tellement mieux.

Pour terminer, j'ai eu une petite surprise. En tapant sur un moteur de recherche « Lola Martin », on tombe sur une chanteuse de biguine[1]. Une chanteuse de biguine, je pouvais difficilement espérer mieux. J'ai aussitôt écouté sa chanson *Ti Paule*, véritable ode à la Martinique qui sentait bon le punch et le bonheur facile. En allant l'écouter sur Deezer, j'ai aussi lu les commentaires la concernant. Pimpky 46 a posté ceci : « Du pur soleil dans les oreilles ! Et puis pas facile de s'imposer comme ça dans ce milieu d'hommes ! Respect Love ! » Quel courage, cette Lola. Et toujours avec le sourire ; l'élégance du combat incarnée.

Je m'étais promené sur toutes ces pages pour me rassurer ; je ne sais pas pourquoi j'éprouve un rapport si angoissé aux noms. Cela avait été pareil pour Madeleine Tricot. J'ai l'impression que le plus important pour un personnage est son nom. Tout le reste en découle. En ne choisissant pas celui de mes personnages, j'avais le sentiment de devenir le père d'un enfant déjà nommé. Alors j'avais voulu observer quelques vies de Martin, et notamment d'homonymes, pour évaluer leur potentiel romanesque. Rassuré, j'étais finalement très heureux avec ma famille Martin.

1. Certes, elle est référencée juste à côté d'une chargée de clientèle de la Bred.

14

Je suis rentré chez moi un peu avant 23 heures. Sur mon bureau, l'ordinateur était ouvert. Je pus lire les derniers mots que j'avais écrits avant d'abandonner. Quelques heures auparavant, j'avais été comme pris d'une nausée à propos de la fiction, et j'étais descendu chercher une histoire dans la rue. Tout cela me paraissait fou ou incongru, et peu importe finalement, il ne faut pas chercher à mettre un nom sur nos intuitions. Tout ce que je savais c'est que j'avais maintenant à ma disposition toute une famille. Cinq personnages dont j'allais raconter les vies. J'étais déjà si excité à l'idée de les retrouver, et de connaître la suite de leur histoire. Pour le moment, je fis un petit récapitulatif.

CE QUE JE SAIS DE MES PERSONNAGES (1)

Madeleine Tricot, environ 80 ans (je n'ai pas demandé l'âge exact). Veuve. Deux filles : Valérie et Stéphanie. L'une est partie vivre à l'étranger. Il y a eu apparemment un problème entre les deux sœurs. Madeleine a travaillé dans la mode, et possède quelques informations sur Lagerfeld (à creuser). A évoqué un premier amour à la fin tragique. Vraiment hâte d'en savoir davantage. Souffre de troubles de la mémoire. Un début d'Alzheimer, selon sa fille. Mais je n'ai rien perçu de tout ça.

Valérie Martin, 45 ans. Mariée, deux enfants. Pour ne pas mettre de pression sur sa mère, elle a considéré que je devais également écrire sur elle et sa propre famille. Profession : professeure d'histoire-géo dans un collège de la banlieue parisienne. Va souvent voir sa mère. Ne paraît pas très épanouie.

Patrick Martin. Le même âge que sa femme. Travaille dans les assurances. A été convoqué dans trois jours par son nouveau supérieur, Desjoyaux (orthographe à vérifier). Redoute un licenciement, une mise à l'écart. Semble du genre pessimiste et anxieux. Signe extérieur : porte une moustache (je ne sais pas encore si ce détail a un quelconque intérêt, mais je le note).

Jérémie Martin, 15 ans. Prototype de l'adolescent : endormi et indolent. A fait toutefois preuve d'un certain humour.

Lola Martin, 17 ans. Plutôt secrète, n'a quasiment pas parlé pendant le dîner. Au-delà de sa méfiance à mon égard, elle m'a paru être ailleurs, comme si elle vivait dans ses pensées. Je ne veux pas m'emballer, mais elle a tout l'air de quelqu'un qui porte en elle un secret.

15

J'ai fait d'étranges rêves pendant cette première nuit. Toute la famille Martin me faisait des reproches terribles, menaçant même de me tuer. C'était inédit pour moi d'être soumis à la vindicte de mes personnages. J'avais pourtant le sentiment de me montrer respectueux, de ne pas agir sans leur consentement. Pourquoi mon inconscient se sentait-il acculé ? L'écriture est une forme de trahison. Devenir écrivain est le destin des coupables. J'anticipais peut-être un moment qui adviendrait, celui où mes personnages n'allaient pas supporter ce que j'allais écrire d'eux. Je me suis réveillé ainsi avec le goût d'une prémonition acide dans la bouche.

16

Valérie m'avait proposé de la rejoindre sur son lieu de travail pour que nous déjeunions ensemble. Elle semblait prendre très à cœur mon projet, ce qui me confortait dans l'idée que j'avais bien fait d'accepter sa proposition. Mais je n'abandonnais pas pour autant ma source initiale ; je comptais rendre visite à Madeleine dans l'après-midi. Ma vie se résumait à présent à des rendez-vous avec les membres de cette famille.

En quittant mon appartement, j'ai vu l'employée de l'agence de voyages fumer une cigarette. Cette femme dont je m'étais dit, la veille, qu'elle aurait pu être mon héroïne. Je la voyais tout le temps en bas de chez moi. Et si j'écrivais un second roman en parallèle, avec elle ? Je pourrais suivre plusieurs histoires, et voir, au bout du compte, laquelle serait la plus intéressante. Non, ce n'était pas possible. Je devais rester fidèle à ma première intuition, et davantage encore : au hasard. J'ai immédiatement renoncé à ce projet d'adultère romanesque.

Et puis, littérairement parlant, Valérie me plaisait. J'ai toujours été attiré par les personnages qui sont dans un entre-deux. Ni dans le bonheur, ni dans le malheur. Ils végètent dans une zone étrange, où la question de l'épanouissement personnel se perd dans le dédale des années qui passent. Pourtant, on sent bien que cela ne peut plus durer. Les frustrations accumulées commencent à devenir insoutenables. On sent que tout peut basculer d'un moment à un autre. Le sourire avec lequel elle m'accueillit ne fit qu'accentuer ce sentiment. Je la vis me faire un signe de la main alors qu'elle était assez loin, tout au fond de la cour de récréation. Elle la traversa d'un pas alerte, comme soulagée par cette occasion de fuir l'établissement pendant une heure.

Habituellement, elle déjeunait à la cantine, dans une salle réservée aux professeurs. Ils parlaient des élèves et de leurs difficultés, ce qui ne marquait pas vraiment une coupure dans la journée. Valérie aurait pu aller déjeuner seule dans un restaurant du coin, pour respirer. Mais si quelqu'un l'avait croisée, cela risquait d'être mal perçu. On aurait pu y voir une insoumission au diktat de la vie collective. Le besoin de solitude est souvent considéré comme une posture antisociale. Tout est compliqué dans les relations humaines, si bien qu'on en arrive parfois à renoncer à son désir pour éviter d'éventuelles scènes de justification. Ainsi, Valérie ne prenait jamais de temps pour elle à l'heure du déjeuner, se laissant embrigader par l'obligation du vivre ensemble. Voilà qui expliquait son enthousiasme. Avoir *un rendez-vous à l'extérieur* était un laissez-passer légitime ; un divin alibi.

17

Nous nous sommes installés dans un café sans charme qui passait des vidéoclips sur un grand écran de télévision au fond de la salle. Il m'a semblé que Valérie s'était légèrement apprêtée, mais c'était suffisamment discret pour que je n'en sois pas certain. Elle voulait peut-être apparaître sous son meilleur jour dans mon livre[1]. Alors que j'avais prévu de profiter au maximum du temps qui nous

1. Elle ne savait pas que je n'aimais pas vraiment donner de description physique de mes personnages.

était imparti pour lui poser de nombreuses questions, elle prit les devants :

« J'ai acheté un de vos livres ce matin.

— Ah merci. J'aurais pu vous donner un exemplaire.

— Ne me remerciez pas. J'ai simplement envie de connaître un peu plus l'homme à qui je vais tout raconter.

— Ça se comprend. Mais je ne parle pas beaucoup de moi dans mes romans.

— J'ai bien vu que ça n'avait pas l'air très autobiographique. Je pense que ça me permettra quand même de vous cerner un peu. À travers le ton, par exemple. Je n'ai lu que quelques pages, mais j'ai comme l'impression qu'il y a une sorte d'ironie un peu désabusée.

— Ah oui… peut-être. C'est ce que vous avez ressenti.

— Vous ne seriez pas un peu dépressif ? dit-elle en souriant.

— Moi ? Mais non… pas du tout.

— Vous avez un humour de dépressif.

— Si vous le dites.

— Et je trouve ça assez charmant finalement.

— Merci.

— Puis-je vous poser une question personnelle ?

— Oui.

— Êtes-vous marié ?

— … »

J'aurais très bien pu ne pas retranscrire cet échange, et la réponse que j'allais lui apporter. Ne laisser dans mon roman que ce qui concerne la famille Martin. Mais je ne peux pas cacher les interactions possibles ; elles font partie de mon projet. En m'immisçant dans d'autres vies, j'en deviens un protagoniste. Il n'était donc plus à exclure que je devienne, à mon tour, un acteur de cette histoire.

Pour le moment, je devais répondre. Que dire ? J'ai toujours eu tellement de mal à parler de moi. Si mes romans ne sont pas autobiographiques, mes rapports humains ne le sont pas davantage. Je n'ai jamais éprouvé le besoin de me confier à quiconque. Bien sûr, les conseils ou le réconfort d'un proche dans les moments difficiles peuvent être un baume. Mais j'ai le sentiment qu'il n'y a rien à dire au cœur des souffrances. J'ai souvent cicatrisé par le silence. Et puis, il y a autre chose : c'est peut-être absurde, mais j'ai l'impression de me connaître mieux que quiconque ; je vois où sont mes erreurs et mes défauts, je vois parfaitement ce que je rate. Alors je conserve en moi les mots de l'intime. Il m'est arrivé de me raconter, lors de déjeuners amicaux par exemple, uniquement pour offrir quelques gages dans le partage obligatoire des confessions. Il n'y a finalement rien d'étonnant à ce que l'écriture soit devenue mon obsession ; cela demeure la meilleure façon de voyager loin de soi. Et je cherche bien davantage à me fuir qu'à me comprendre. Mais voilà que je devais raconter ma vie sentimentale à Valérie, et accessoirement au lecteur. C'est toujours ainsi : on ne peut pas passer entre les gouttes des interrogatoires. Il faut sans cesse dire qui l'on est, ce que l'on aime ou ce que l'on fait dans la vie, et si l'on est seul ou à deux. Alors que l'idée de me dévoiler revient pour moi à partir en vacances dans ma rue.

Une autre interrogation me paralysait. J'ai repensé aux mots de Valérie à mon égard. Elle avait évoqué un humour « assez charmant ». Cela ne laissait rien présager de bon. Ce déjeuner prenait décidément une mauvaise tournure. J'étais là pour écrire sur elle, certainement pas pour créer le moindre trouble. C'est tout le problème d'accaparer des personnes réelles : il faut trouver la bonne distance avec eux. Se montrer froid ne mènerait à rien ; et être trop chaleureux pourrait dénaturer le récit. Je n'avais pas ce problème-là avec mes fictions ; mes personnages ne cherchant jamais vraiment à entrer en relation avec moi. Imagine-t-on Juliette demandant à Shakespeare s'il est marié ? Je commençais à douter de ma capacité à mener un tel projet. Sans compter que Valérie ne devait pas être très épanouie pour me trouver du charme. Ma capacité de séduction ressemblait depuis un moment à un film de Bergman (sans les sous-titres).

Il fallait arrêter de tergiverser et simplement être le plus naturel possible. « Je ne suis pas marié, ai-je répondu. Et je suis célibataire depuis peu. » Je vis dans le regard de Valérie qu'elle voulait en savoir davantage ; en tout cas, elle attendait à l'évidence que je développe un peu. Ce que je fis. Ma dernière compagne, après six années de vie commune, avait décidé de me quitter. Pratiquement du jour au lendemain. Certes, nous avions des hauts et des bas, mais j'avais longtemps pensé que notre histoire était ainsi, passionnelle, et que les errances du cœur ne remettaient pas en cause l'essentiel : nous nous aimions. Je me racontais car je n'avais pas le choix ; il fallait donner pour recevoir. Valérie finit par m'interrompre :

« Pardon de vous demander ça, mais vous êtes sûr qu'elle n'a pas rencontré quelqu'un d'autre ?

— Je ne crois pas.

— Vous ne croyez pas ?

— Non, à vrai dire, j'en suis sûr. Je sais qu'elle me l'aurait dit.

— On ne se dit pas toujours la vérité au moment de se quitter.

— Pas dans notre cas. »

J'ai ajouté un « voilà » qui en général signifie qu'on veut mettre un terme au sujet évoqué. Je ne voulais pas continuer, et lui dire que Marie était partie en prononçant cette phrase : « Je préfère la solitude à toi. » Oui, c'est ce qu'elle m'avait dit. Et je lui en avais terriblement voulu. Mais j'imagine que ses mots avaient eu pour but de me faire mal, à défaut de me faire réagir. Je n'avais pas vu tous les signes qu'elle m'avait envoyés ; ceux de sa tristesse, de son désamour, de son manque d'épanouissement. C'est au moment de son départ que j'avais compris beaucoup de choses. Je me sentis alors rattrapé par une mélancolie subite, cette mélancolie que je pensais enfin avoir chassée de ma vie depuis plusieurs semaines déjà. Heureusement, Valérie, dans un élan de parfaite délicatesse, me coupa ainsi :

« Vous deviez être imbuvable. Je suis sûre que vivre avec un écrivain, ça doit être insupportable.

— …

— Mais bon, au moins, il doit tout le temps se passer quelque chose avec vous. »

Enfin, elle tirait la couverture de la conversation à elle. Une allusion à la morne vie avec son mari. Mais elle le fit avec le sourire ; on passe souvent par une petite phase d'ironie avant le désespoir. Elle avait vu dans l'évocation de ma rupture le signe d'une vie palpitante. Quand on ne va pas bien, on trouve formidable la vie des autres ; un jugement que l'on opère sans la moindre lucidité. Si j'avais annoncé que j'étais atteint d'un cancer, elle aurait dit : « Oh c'est magnifique ! Au moins, il se passe quelque chose dans votre corps ! » Plus que jamais, j'avais l'impression d'arriver à un moment critique dans la vie de cette femme.

18

Maintenant que nous avions évoqué ma vie sentimentale pour satisfaire Valérie, il était temps de nous concentrer sur elle. Mais je devais faire preuve de méthode. Je ne pouvais pas me permettre d'accueillir, dans une anarchie totale, des éléments biographiques épars et des ressentiments récents. Elle comprit ma demande et s'exécuta avec docilité. Je voulais avant tout comprendre le contexte de sa vie professionnelle. Cela faisait douze ans maintenant qu'elle travaillait au collège Karl-Marx de Villejuif. Elle prenait le métro chaque jour, dans une routine implacable. À l'écouter, son désir s'était progressivement émoussé, année après année. Elle se remémorait avec passion ses études d'histoire à l'université, et ses premières années d'enseignement. Elle ne savait pas vraiment à quel moment les choses s'étaient mises à évoluer dans le mauvais sens. Elle se souvint qu'une année, à la rentrée de septembre, elle avait éprouvé comme une immense flemme à l'idée de retourner en classe. L'été lui avait paru particulièrement court.

Peut-être que son métier était simplement plus difficile qu'avant ? On entendait de plus en plus souvent parler de parents d'élèves qui se plaignaient, et pouvaient même devenir violents. Les professeurs devenaient les exutoires d'une société en crise. Mais non, rien de tout ça. Valérie n'avait jamais rencontré le moindre problème important dans son établissement, et avait toujours trouvé, dans la grande majorité, des élèves attentifs et désireux d'apprendre. Quand on lui avait proposé un poste à Paris, dans un collège pourtant plus près de chez elle, elle avait préféré rester à Villejuif ; là où elle avait ses marques, là où elle était heureuse de suivre le parcours de certains élèves qu'elle affectionnait particulièrement. Alors pourquoi avait-elle perdu le goût de transmettre ?

Quelques mois auparavant, elle s'était confiée à une collègue professeure d'espagnol, une femme un peu plus âgée avec qui elle entretenait des rapports amicaux. « C'est tout à fait normal ce que tu ressens, lui avait dit cette dernière. Tout enseignant éprouve ça, à un moment ou à un autre. C'est une vie professionnelle basée sur une routine liée au calendrier ; toujours la rentrée en septembre, les vacances aux mêmes dates ; on peut finir par avoir le sentiment que les années déteignent les unes sur les autres et que la vie passe ainsi sans la moindre aspérité. C'est à toi de faire en sorte que cela change. Tu peux emmener tes élèves en voyage scolaire, innover, inventer des choses… » Sa collègue n'avait pas tort. Valérie se sentait écrasée par une forme de routine, et ne cherchait pas à la combattre, alors qu'elle avait une grande marge de manœuvre. Elle avait finalement décidé d'emmener ses élèves à Auschwitz. Cela avait soudé la classe, les élèves paraissaient transfigurés par ce voyage sur la mémoire de l'horreur. Pourtant, elle se souvenait parfaitement que le soir, dans sa chambre d'hôtel, à Cracovie, elle ne parvenait pas à chasser le sentiment d'une vacuité absolue. Quelque chose manquait terriblement à sa vie, mais elle ne savait pas quoi.

Comme subitement gênée par ces quelques confidences, Valérie changea de sujet et voulut parler à nouveau de moi :

« J'avoue que je ne vous connaissais pas. Mais j'ai parlé de vous à ma collègue de français. Elle serait heureuse si vous acceptiez de rencontrer ses élèves.

— Oui, peut-être plus tard. Pour l'instant, je me consacre à mon roman. Et je préfère qu'on y reste justement, en continuant à parler de vous.

— Ça vous intéresse vraiment ?

— Vous me posez la même question que votre mari.

— Ça nous fait un point commun, dit-elle avec une ironie non masquée.

— En tout cas, bien sûr que ça m'intéresse. La lassitude est une question majeure de notre époque. Sûrement à cause de notre rapport à l'épanouissement qui a complètement changé.

— C'est-à-dire ?

— Tout le monde a maintenant l'ambition d'être heureux. Ça change forcément nos attentes.

— Si vous le dites.

— Partout autour de moi, je vois des gens qui changent de vie professionnelle. "Se reconvertir" devient la norme. On se rend compte à 40 ans qu'on ne veut plus travailler dans une agence immobilière, mais qu'on préfère enseigner le yoga. Je ne vois que ça. Pourquoi les professeurs devraient-ils être épargnés ? Parce qu'ils sont fonctionnaires ? Ce que vous ressentez me paraît assez compréhensible. Vous avez peut-être envie de faire autre chose ?

— Pas du yoga en tout cas ! Ce qui m'attriste, c'est de ne plus ressentir de désir pour mon métier.

Au fond, je ne veux pas changer mais juste retrouver l'envie.

— Je comprends vraiment ça, la perte de l'envie.

— En tout cas vous avez raison pour ces histoires de carrières fragmentées. J'ai une amie qui était pédiatre, et elle a tout arrêté pour ouvrir une fromagerie en Corse ! C'est une femme extraordinaire. Vous auriez dû écrire sur elle, plutôt. Si jamais vous me trouvez décevante, je peux vous donner son numéro.

— Vous n'êtes pas décevante », répondis-je spontanément.

Valérie parut comme heureuse d'entendre ce compliment atypique, celui d'être une héroïne intéressante. Je n'avais pas prévu de m'investir autant dans les échanges ; je voulais rester en retrait et recueillir les confidences. Mais le sujet m'avait touché. Je connaissais parfaitement ce sentiment de la perte du désir. Je m'étais si souvent retrouvé perdu au milieu d'un roman, en n'éprouvant plus la moindre motivation. Et, comme par miracle, le goût des mots revenait, à un moment ou à un autre. On devient si vite bipolaire quand on écrit. Alors je comprenais Valérie, et son impression d'être bloquée au cœur d'un métier devenu terne.

19

Le temps passait, nous allions bientôt nous quitter. J'aurais pu attendre la rençontre suivante pour l'interroger à propos de sa sœur, mais je ne cessais d'y penser :

« Est-ce que je peux me permettre de vous parler d'autre chose ?

— Oui, bien sûr.

— J'ai senti hier qu'il y avait un malaise au moment d'évoquer Stéphanie. Votre maman aussi semblait gênée…

— …

— Que s'est-il passé ?

— Il y a des choses dont je n'ai pas envie de parler.

— Je comprends.

— Ne faites pas cette tête. J'ai promis d'être sincère, je le serai. Mais pour ma sœur, c'est trop tôt. »

Je m'étais idiotement précipité pour grappiller quelques éléments en fin de repas, et pourtant j'avais bien saisi qu'il s'agissait là d'un sujet sensible ; et sûrement douloureux. Je m'en voulais d'avoir manqué de finesse. Elle s'était déjà tellement dévoilée, et surtout elle m'avait permis d'entrer dans sa famille. Je lui fis comprendre qu'elle serait maîtresse du temps des confidences, et qu'il n'y avait aucune obligation de tout se dire. J'étais persuadé qu'on récoltait davantage en ne pressant pas les gens. J'ai souvent écrit ainsi, sans chercher obstinément à attraper les mots, mais en attendant qu'ils viennent à moi.

Nous avons quitté le restaurant comme des amis qui déjeunent ensemble de temps à autre. La discussion avait été simple et fluide, et cela m'aurait fait plaisir qu'elle puisse se prolonger. Mais Valérie était déjà en retard pour la reprise des cours. Je lui ai tendu la main, mais elle m'a fait la bise en me disant : « À ce soir à la maison ! » Elle est partie d'une démarche rapide et enjouée, mais au bout de quelques mètres, elle a fait demi-tour. « Il faut que je vous dise… Je crois que je n'aime plus mon mari. Je vais le quitter. C'est important que vous le sachiez… pour votre livre. » Puis, elle est repartie comme si elle ne m'avait rien dit d'important ; juste un point-virgule dans un roman.

20

Je suis resté stupéfait. Pourquoi une telle annonce subite ? Sans même me laisser la possibilité de lui répondre. Je me suis alors dit qu'elle avait agi ainsi pour rendre mon roman plus intrigant. Elle avait bien précisé : « C'est important que vous le sachiez pour votre livre. » C'était donc une confidence pour animer mon projet. J'avais senti à plusieurs reprises pendant le déjeuner qu'elle craignait que sa vie ne soit pas assez trépidante, et j'avais dû la rassurer sur ce point. Avait-elle fait cette déclaration pour me démontrer le contraire ? Pensait-elle vraiment ce qu'elle disait ? J'avais dîné avec un couple essoufflé, arpentant la vie quotidienne sans réel enthousiasme. Mais cela me paraissait tout de même étrange qu'elle me révèle une information aussi intime. Malgré le pacte qui nous unissait, je demeurais un inconnu. J'ai commencé à penser que c'était, au contraire, ma présence qui la poussait à mettre des mots sur ce qu'elle ressentait. En la faisant parler d'elle, je la propulsais dans une nouvelle lucidité. Je n'avais pas pressenti cet aspect de la situation, mais je peux le dire dès maintenant : mon intrusion au sein de la famille Martin allait causer des ravages.

21

Valérie me raconterait certains détails un peu plus tard. Son mari ne la touchait plus. Elle se sentait morte pour la vie sensuelle. Oui, c'était son expression : *morte pour la vie sensuelle*. Il y avait tant de violence dans ces mots. On pouvait mourir de ne plus être regardé.

Cependant, Valérie sentait bien qu'elle pouvait encore plaire. Pierre, l'un de ses collègues, lui faisait des allusions de plus en plus claires. Il la complimentait sur son allure ou lui proposait de boire un verre après le travail. Elle n'était pas insensible à ces manifestations masculines, mais au fond d'elle-même, elle ne pouvait s'empêcher de trouver ça pathétique. Elle n'avait pas envie de se faire baiser dans un hôtel de Villejuif à la sortie des cours par un homme qui ne l'excitait pas plus que ça, et qui n'avait aucune intention de quitter sa femme. Ces pauvres adultères la répugnaient. Elle voulait être touchée, mais pas à n'importe quel prix ; le manque affectif ne la rendait pas misérable.

Elle avait rembarré Pierre, qui avait fini par coucher avec Malika, la conseillère d'orientation. Cela dégoûtait Valérie que tout le monde soit au courant ; elle aurait détesté être le sujet d'un ragot minable. Elle imaginait ces deux corps tristes se chevauchant pendant quelques semaines, ou quelques mois au plus. Il n'y avait aucune chance pour que ces deux-là soient subitement traversés par une passion dévorante. Non, rien de tel ne pouvait arriver. Tout était déjà écrit, une histoire sans surprise. Pourtant, il y avait eu une péripétie surprenante : la femme de Pierre avait découvert la liaison de son mari. On aurait pu alors attendre un psychodrame conjugal, mais non, même pas. C'est sûrement ça, le comble de la lassitude : ne pas réagir quand l'autre déshérite votre corps. Pierre, dans la folie du paradoxe humain, en avait été meurtri. Il aurait voulu que sa femme ait une réaction, même minime, mais non, elle n'avait rien dit et ne dirait jamais rien.

Valérie était persuadée que son mari n'aurait pas réagi de la même façon. Même s'il ne la touchait plus, il aurait été effondré à l'idée que sa femme puisse le tromper. Cela lui faisait du bien de le penser. C'était peut-être tout ce qu'il leur restait, ce sentiment ténu de s'appartenir encore un peu.

22

Après le déjeuner, je décidai de retrouver Madeleine. Elle m'accueillit avec un large sourire, avant de disparaître aussitôt dans sa cuisine pour me préparer un thé. On aurait dit exactement la même scène que la veille. À nouveau, dans le salon, j'ai songé à mes grands-mères. Je m'étais si souvent demandé comment elles remplissaient leurs journées. Il en était de même avec Madeleine. Que faisait-elle pour traverser les heures ? Elle faisait ses courses, se promenait, voyait sa fille et parfois ses petits-enfants, et j'imaginais qu'elle regardait aussi la télévision (l'une de mes grands-mères restait immuablement devant TF1). Pouvait-on combler une vie ainsi ? Quel rapport entretient-on au temps quand il devient compté ? Je suis obsédé par toutes ces questions.

Quand elle a reparu, je lui ai demandé si elle avait passé une bonne matinée. Elle m'a aussitôt répondu : « Oh, je n'ai pas arrêté ! » Je ne savais pas en quoi l'emploi de son temps avait consisté, mais j'avais ma réponse. Elle n'avait pas le sentiment de s'ennuyer. C'est d'ailleurs assez étonnant de constater que les personnes âgées éprouvent très rarement de l'ennui. Contrairement aux enfants qui s'en plaignent dès la moindre minute sans activité. Il y a sans doute un rapport aux heures différent passé un certain âge, un rapport qui n'est plus une soumission à l'occupation. Je me souviens qu'un jour, à travers la fenêtre (elle habitait au rez-de-chaussée), j'avais aperçu ma grand-mère assise sur son canapé sans rien faire. On aurait pu croire qu'elle méditait, mais non, elle était comme en vacance d'elle-même. Et l'on pouvait lire toutes sortes d'émotions sur son visage, mais certainement pas l'ennui.

Alors que j'allais commencer la séance de souvenirs, Madeleine m'interrogea :

« Ça s'est bien passé hier, chez ma fille ?

— Très bien.

— Et son mari, vous l'avez trouvé comment ?

— Très sympathique, me sentis-je obligé de répondre, pour respecter une forme de neutralité.

— Et Jérémie ? Je suis sûr qu'il n'a pas dû arrêter de parler celui-là !

— … »

Évoquions-nous vraiment la même personne ? Il y aurait sûrement autant de romans différents que de regards, mais il me semblait tout de même très improbable d'envisager cet adolescent mutique en champion de la parole. Retenait-il tous les mots qu'il avait en lui pour ne les déverser qu'en présence de sa grand-mère ? Madeleine finit par me dire qu'elle était heureuse que j'écrive aussi sur le reste de sa famille. Cela lui ôtait le poids d'avoir le sentiment que j'attendais trop d'elle. Exactement ce qu'avait pensé Valérie. J'allais, par ailleurs, me rendre compte qu'elle avait raison quant à la mémoire vacillante de sa mère. Lors de ce second rendez-vous, j'enregistrai ici ou là des absences chez Madeleine. C'était minime, et peut-être me focalisais-je dessus à cause des propos de sa fille, mais il me sembla qu'elle cherchait davantage ses mots.

J'ai proposé qu'on feuillette ensemble des albums photo. Nous sommes ainsi partis pour un périple imagé vers le passé. Il y avait tant de souvenirs avec ses filles. J'ai observé Valérie à l'âge de 7 ou 8 ans. C'était incongru de penser que je venais de déjeuner avec cette enfant devenue adulte. En regardant la photo, je voyais comme une tristesse dans son œil, une tristesse qui faisait écho à celle que j'avais perçue pendant notre rendez-vous. Pouvait-on déceler dans l'expression d'un enfant les vibrations de son avenir ? Mon regard devait être contaminé par la Valérie d'aujourd'hui en se posant sur celle d'hier. Sur l'une des images, sa sœur lui tenait la main. Stéphanie paraissait plus solaire ; mais de ce soleil qui aveugle un peu.

Il y avait tant d'autres souvenirs à parcourir. Je suis tombé sur une photo de son mariage en noir et blanc bien sûr[1]. Cela m'a donné envie de parler

1. C'est incroyable comme le noir et blanc convient à certaines situations ; il souligne un événement qui manque de couleur.

à nouveau de René. Mais je ne voulais pas heurter mon hôte. J'imagine la douleur de se plonger dans ce qui n'existe plus. On fait mine de s'accoutumer à l'effroi de vivre sans l'autre, une sorte de politesse humaine, alors que notre cœur est amputé. À vrai dire, dès les premiers mots de Madeleine, j'ai ressenti la même chose que la veille. Elle avait adoré passer sa vie avec cet homme, mais point de passion à l'horizon. Elle parlait de lui comme d'un compagnon de route, presque un ami. Elle évoqua sa discrétion, jusque dans sa mort : « Il a souffert, mais il a fini par partir si calmement, en dormant. » Puis elle ajouta dans un souffle : « Le rêve… »

C'est donc cela, l'ultime rêve d'une vie, s'échapper dans le sommeil.

Cette discrétion évoquée, je pouvais la percevoir dans les photos. Cet homme paraissait en retrait, esquissant de petits sourires pas vraiment francs, comme s'il était gêné d'être là ; un homme à l'allure d'une ombre. À nouveau, elle me parla de la passion de René pour son travail. Il aimait tellement la RATP. Il connaissait la moindre anecdote sur les stations de métro ; rien ne l'excitait davantage que les extensions de ligne. Le jour où ils avaient annoncé que la ligne 7 irait jusqu'à Villejuif, c'était son Armstrong sur la Lune. Selon Madeleine, il fallait trouver l'origine de cette obsession rectiligne dans son enfance. Elle me répéta l'anecdote où il avait dû se cacher dans une salle de cinéma. En précisant que cela avait eu lieu à de nombreuses reprises. Il avait ainsi vécu dans la frayeur de devoir toujours se cacher, ne jamais dormir au même endroit, de respirer avec la peur au ventre. Sa mère avait fini par être arrêtée après avoir été dénoncée par l'un des membres de son propre réseau. Elle était morte assez rapidement, probablement pendant une séance de torture ; mais c'était resté une hypothèse ; sa famille n'avait pas pu connaître la vérité. Madeleine était donc persuadée que c'était dans cette enfance éparpillée et ballottée qu'était né son amour de la ligne droite. Étrange théorie, mais qui pouvait se défendre. Le métro est, par excellence, le chemin dont on ne peut pas dévier. C'est le paroxysme de la route rassurante ; un antidote à toute errance, à toute traque.

Fort logiquement, René détestait les changements. L'existence reposait sur des rythmes réguliers, et des lieux familiers. Tous les étés, ils prenaient leurs vacances au même endroit : un camping à Vichy. « Pour les eaux thermales », précisa Madeleine, lisant dans mon regard que j'associais cette ville à la collaboration. Je trouvais étrange qu'un homme qui avait perdu sa mère pendant la guerre ait envie d'y passer toutes ses vacances. Plus elle me parlait de son mari, et de son goût du prévisible, plus je le trouvais déroutant. Il y a une grande force romanesque dans l'ordinaire. D'ailleurs, la plupart des psychopathes ont des vies réglées comme du papier à musique. Bien sûr, je me gardai de partager cette remarque avec Madeleine, mais elle semblait heureuse que je trouve son mari intéressant. C'était comme si je lui offrais une gloire posthume.

23

Alors que Madeleine semblait parfois errer dans un monde parallèle, suspendue à je ne savais quelle sensation du passé, elle me regarda droit dans les yeux pour me dire : « René a été un bon mari, et un bon père, mais l'homme que j'ai aimé plus que tout s'appelait Yves. Je l'ai connu à 22 ans, et pendant trois ans notre histoire a été merveilleuse. Mais il m'a quittée subitement. Il est parti vivre aux États-Unis. J'ai souffert le martyre. Cela a été la période la plus douloureuse de ma vie… » Madeleine s'arrêta d'un coup. Certains récits ne peuvent s'interrompre que brutalement, comme guillotinés par l'émotion. Je ne savais que dire. Bien sûr, je voulais l'interroger plus avant à propos de cet homme, comprendre les raisons de leur séparation, mais j'étais surtout ému. Elle venait de prononcer ces quelques mots avec une telle intensité. Sa confiance me touchait. Elle dévoilait à l'inconnu que j'étais ce qui lui serrait le cœur depuis toujours.

Après un long silence, j'ai fini par lui demander :

« N'avez-vous jamais cherché à avoir de ses nouvelles ?

— Non. Et je ne l'ai plus jamais revu. Enfin, une fois, j'ai failli le revoir...

— Quand?

— Je ne sais plus vraiment. Les filles devaient avoir 10 ou 12 ans. J'ai reçu un mot au bureau, chez Chanel. Je ne sais pas trop comment il m'avait retrouvée là-bas. J'avais changé de nom...

— Il savait que vous travailliez dans la mode. Il a peut-être appelé toutes les maisons de couture, à la recherche d'une Madeleine.

— Mais on s'appelait toutes Madeleine à l'époque!

— En tout cas, il vous a cherchée et retrouvée. Et alors? Que s'est-il passé?

— Rien.

— C'est-à-dire?

— Il m'a écrit un mot car il était à Paris, en me disant qu'il aurait été heureux de me revoir. Voilà, juste quelques lignes, comme ça, avec le nom de son hôtel. Après tant d'années de silence. J'aurai pu me réjouir, mais ce fut le contraire. Je lui en ai voulu de réapparaître subitement. J'avais ma vie, mon travail, mes filles. J'avais sorti la tête de l'eau. Ce n'était pas bien de sa part, de me faire ça. Je me suis dit que je n'irais pas. J'ai tenu bon... mais...

— Vous y êtes allée quand même?

— Oui. L'envie était trop forte. Et puis, j'avais besoin de savoir pourquoi il était parti de cette manière. Cela m'avait rendue folle de ne pas comprendre. Alors, je suis allée à son hôtel...

— Et?

— Rien. Il était parti le matin même. C'est tout.

Le destin n'a pas voulu qu'on se retrouve. Cela m'a plongée à nouveau dans le désarroi. J'étais obsédée par l'idée de cette rencontre qui avait failli avoir lieu.

— C'est terrible. Il n'avait pas laissé un mot, une adresse ?

— Non. Comme je n'étais pas venue, il n'a pas jugé utile de laisser une trace, j'imagine.

— Et c'est tout ?

— Oui.

— Vous n'avez jamais essayé de le retrouver ?

— Comment ?

— Je ne sais pas. En tapant son nom sur Internet. Ou sur Facebook. C'est quoi son nom de famille ?

— Grimbert.

— Vous voulez que j'essaye ?

— De quoi ?

— De le trouver.

— ... »

Madeleine eut un signe de la tête que je considérai comme un acquiescement. Sur mon téléphone, j'ai ouvert l'application Facebook. Je suis tombé sur quelques Yves Grimbert, mais un seul paraissait avoir le même âge qu'elle. On pouvait difficilement faire une enquête plus rapide. Notre modernité a dû pousser tant de détectives privés au chômage ; le temps des filatures est révolu. Le profil signalait que l'homme habitait à Los Angeles. Je demandai à Madeleine si elle voulait voir la photo, et elle fit à nouveau signe que oui. Sans marquer la moindre émotion, elle énonça : « C'est lui. » Elle devait être sous le choc. Elle continua de fixer son amour de jeunesse et finit par dire : « Il n'a pas changé. » Dans un roman, je n'aurais pas osé une telle phrase. J'ai trouvé tellement beau qu'elle puisse dire cela de cet homme, presque soixante ans après l'avoir vu pour la dernière fois. La puissance d'un sentiment est capable de figer le temps.

Je pensais qu'elle voudrait en savoir davantage sur lui. Il ne devait pas être compliqué d'approfondir la recherche. Mais ce qu'elle venait de voir semblait l'avoir dépossédée de toute énergie. Elle voulait se reposer maintenant, ce que je comprenais parfaitement. En me raccompagnant à la porte, elle me dit à nouveau : « Merci. » Je n'avais rien fait de particulier. Simplement taper un nom sur mon téléphone. Au dernier moment, elle me retint : « Je sais bien que je fatigue, que je ne sais plus très bien où est ma tête parfois, mais il y a une chose dont je suis sûre : je veux revoir Yves. Je veux revoir Yves avant de mourir. »

24

J'ai descendu l'escalier de plus en plus doucement, pour finir par m'asseoir sur une marche. L'expression « avant de mourir » m'avait sidéré. En voyant la photo de cet homme, elle a immédiatement décidé qu'elle avait un acte ultime à accomplir. Sans le vouloir, au fil de la discussion, j'avais déclenché un incroyable désir. Et bien sûr, je ne peux pas le nier, je pensais à mon roman. Et si c'était ça mon histoire ? Ça et uniquement ça. Je me voyais déjà partir pour les États-Unis avec Madeleine, afin d'écrire la beauté de leurs retrouvailles.

Cette histoire me rappela un reportage que j'avais vu récemment. Des images qui avaient fait le tour du monde, déclenchant systématiquement une intense émotion. Soixante-quinze ans après le Débarquement de Normandie, un Américain avait retrouvé une femme qu'il avait aimée. Émerveillés par cette folie du destin, ils se tenaient la main, les larmes aux yeux. Le temps altère tout sur son passage, sauf l'amour. Voilà ce qu'il fallait croire en les observant.

En pleine dérive de sentimentalité, je fus rattrapé par une interrogation. La même que celle qu'avait provoquée ma rencontre avec Valérie. Les deux rendez-vous se répondaient dans un étrange écho. C'était comme si elles s'étaient toutes deux efforcées de créer une forme de tension narrative. En ce qui concernait Valérie, je ne pouvais plus en douter. Au dernier instant de notre rencontre, en revenant ainsi vers moi pour m'annoncer sa future séparation, elle avait à l'évidence tenté de produire un suspense. Exactement comme on dévoile à la fin de chaque épisode d'une série un événement qui propulse le spectateur dans le désir frénétique de regarder la suite. En anglais, on appelle ça un *cliffhanger,* une façon de laisser le spectateur comme « suspendu à la falaise ». Telle une scénariste de sa propre vie, Valérie avait créé cette attente chez moi. Et donc potentiellement chez le lecteur aussi, si je parvenais à écrire cette histoire.

Et voilà que maintenant Madeleine agissait de manière similaire. Certes, je doutais qu'elle ait pu le faire en toute conscience, avec un sens de la narration. Je ne l'imaginais pas maîtrisant pleinement la notion de *cliffhanger*. Pourtant, il y avait dans cette dernière scène tous les ingrédients nécessaires. Qu'allait-il se passer ensuite ? Elle voulait revoir Yves. Il me paraissait évident que j'allais jouer un rôle dans l'organisation de ces retrouvailles. Et, encore une fois, c'était ma présence qui avait suscité ce rebondissement dans sa vie. J'étais comme un psychologue avec qui on n'a pas rendez-vous. On se retrouve face à lui avec le sentiment de n'avoir rien à déballer, mais au bout de trois minutes on se met à avouer ce qui ne va pas. Là, il ne s'agissait pas d'une quelconque pathologie, mais d'un trésor caché au fond du cœur. Si Madeleine avait forcément été déstabilisée par la photo d'Yves, je l'avais surtout sentie heureuse de pouvoir me révéler son secret. Par respect pour René, elle n'avait jamais vraiment évoqué l'intensité de ce premier amour avec ses filles. Mon roman lui permettrait d'écrire enfin son histoire.

25

Une fois dehors, je me suis promené un peu dans les rues de mon quartier. Partout autour de moi, je ne voyais plus des habitants mais des personnages. Il m'était souvent arrivé de m'asseoir à une terrasse de café et d'inventer la vie des passants ; cette fois-ci, je m'étais levé pour mettre fin à l'imagination. En repensant à mon roman, j'avais l'impression qu'il prenait *une tournure affective*. Entre les incertitudes de Valérie et les souvenirs de Madeleine, on passait beaucoup de temps dans les affres du cœur. Cela m'ennuyait un peu, car on m'avait parfois reproché d'écrire trop sur l'amour. Mais soyons clairs : ce n'était pas de mon fait. J'étais soumis à la vie de mes personnages. Et il paraît évident que la trame sentimentale de chaque individu demeure relativement prioritaire.

26

La soirée s'annonçait déjà. Pour la seconde fois en deux jours, j'allais dîner chez les Martin. Je fis exprès d'arriver en avance, pour pouvoir parler aux enfants. Lola m'ouvrit la porte et me gratifia d'un « Bonsoir, monsieur l'écrivain ». Mais ce fut tout.

Elle retourna immédiatement dans sa chambre, me laissant désœuvré dans le couloir. Avais-je une tête qui ne lui revenait pas ? Valérie m'avait dit la veille que sa fille était plutôt du genre populaire au lycée. Je ne voyais qu'une adolescente sauvage, se méfiant de moi comme si j'étais une interrogation surprise de physique-chimie. Si cette génération ne paraissait plus étonnée par grand-chose, elle n'en demeurait pas moins méfiante. Avec l'utilisation outrancière des réseaux sociaux, les réputations fondées sur un rien, il fallait être vigilant. Je demeurais une sorte d'espion, et elle n'avait pas tort.

Je n'eus d'autre choix que de m'aventurer seul vers le salon. Comme à chaque fois que j'étais invité chez quelqu'un, je regardai la bibliothèque. J'ai l'impression qu'on peut tout savoir d'une personne en observant les livres qu'elle possède. À l'époque où je cherchais à acheter un appartement, je me dirigeais directement vers les étagères, en vue de découvrir les romans qui s'y trouvaient. S'il n'y en avait pas, je quittais aussitôt les lieux. Il m'était impossible d'acquérir un bien dont les précédents propriétaires ne lisaient pas. C'était comme apprendre qu'un crime horrible avait eu lieu au même endroit des années auparavant (chacun ses excès). De la même manière que certains croient aux revenants, je juge tout à fait crédible qu'il puisse exister une sorte de fantôme de l'inculture.

Chez les Martin, je trouvai quelques classiques, des best-sellers et trois ou quatre Prix Goncourt. D'un point de vue littéraire, j'étais dans une famille moyenne qui lisait les livres dont tout le monde parle. Je fus pourtant surpris de découvrir *De l'inconvénient d'être né* d'Emil Cioran, au milieu des lectures grand public. Cela me parut aussi improbable que si les Marx Brothers avaient réalisé un drame. En attrapant l'ouvrage, je lus toutefois l'étiquette : « Livre offert pour l'achat de deux Folio ». Le philosophe roumain se retrouvait donc au cœur d'une offre promotionnelle qui lui permettait d'aller jeter un œil du côté des livres à succès. Il aurait peut-être aimé cette ironie de la postérité. J'ai alors pensé à l'une de ses phrases que j'aime tant : « Il est incroyable que la perspective d'avoir un biographe n'ait fait renoncer personne à avoir une vie. » Il y avait là une forme de résonance avec mon projet, puisque j'étais en train de devenir le biographe de la famille Martin.

27

Le temps passait et j'étais toujours seul dans le salon. Je n'avais donc pas d'autre choix que le suivant :

ANECDOTES PALPITANTES SUR KARL LAGERFELD (1)[1]

Lagerfeld a conservé toute sa vie une partie du mobilier de sa chambre d'enfant. Voilà ce que m'avait raconté Madeleine. J'ai trouvé ce détail *fascinant*, et je n'emploie pas ce mot pour rendre plus excitant ce passage censé combler une lacune narrative. Non, je trouve que c'est d'autant plus intrigant qu'il n'associe pas l'enfance à une période très réjouissante. Je me souviens d'une interview où il disait même s'être totalement reconnu dans l'atmosphère si austère du *Ruban blanc* de Michael Haneke. Et, en approfondissant un peu le sujet, je suis tombé sur cette déclaration au journal *Libération*: « Je trouvais la condition d'enfant humiliante. » Cela nous donne un aperçu de ce qu'il a vécu. Alors, on s'interroge forcément sur le désir de conserver son mobilier d'époque. Si un artiste est un adulte qui regarde son enfance en permanence, il semble que les choses soient ici différentes. Je fais partie de ceux qui pensent que les objets portent en eux les vibrations du passé; tout comme les murs, les rues, ou les arbres. Ainsi, le petit bureau qu'il a conservé toute sa vie fut, en quelque sorte, le premier spectateur de son génie. C'est là qu'il a exécuté ses dessins d'initiation, l'origine de son monde créateur. Lagerfeld a donc

1. Comme prévu, dès que je sentais une petite baisse de tension narrative, ou que mes personnages ne me donnaient pas de quoi nourrir assez l'intérêt du lecteur, j'utilisais Karl Lagerfeld.

voulu conserver près de lui non pas l'objet d'une époque qu'il rejetait, mais le témoin matériel de son éclosion artistique (l'équivalent humain serait de conserver à jamais sa maman auprès de soi).

28

Il faut croire que *la narration vient en narrant*. Car c'est au cœur de cette anecdote sur Lagerfeld que Jérémie fit son apparition. Contrairement à sa sœur si fuyante, il s'installa à côté de moi. Je pris confiance, et me permis de lui demander si je pouvais visiter sa chambre. Il accepta, mais je compris très vite qu'il était du genre à dire oui à tout, pour s'épargner toute conversation. C'était un économe de la parole. Et quand il parlait, il ne finissait jamais vraiment ses phrases ; il y avait quelque chose d'inachevé chez lui. Pour être plus précis : lui-même ne semblait pas trouver très intéressant ce qu'il exprimait.

C'est assez classique, j'imagine. L'adolescence est un âge où la perception de soi est mise à mal. Cela s'explique peut-être ainsi : bien souvent, l'enfance est un royaume où l'on est le centre du monde. Sans le vouloir, les parents gonflent de manière disproportionnée l'ego de leur progéniture. Ils accourent au moindre besoin, jugent génial n'importe quel gribouillage et s'extasient sur des chorégraphies ridicules. Bref, l'enfant a le sentiment d'être touché par la grâce, et se fracasse lamentablement, ensuite, dans la vérité de l'adolescence : il n'est que lui. Il y aurait sûrement beaucoup moins de crises pubertaires si l'on plongeait les humains dès leur plus jeune âge dans une réalité moins narcissique. Jérémie, comme tout adolescent, était une sorte de vedette de la chanson qui a enchaîné les tubes mais traverse désormais une période bien plus complexe car le public ne semble plus vouloir de lui. Il se retrouve donc dans cette étape de vie où, tout en ayant si peu vécu, on se sent déjà *has been*. L'adolescent pense craindre l'avenir, alors qu'il souffre de la disparition du passé.

Cette théorie a traversé mon esprit tandis que mon regard se promenait sur les murs d'une chambre sans âme, agrémentée de quelques affiches. À les observer, ses goûts musicaux semblaient fébriles. Son cœur balançait entre Nirvana et Angèle. Un groupe de dépressifs et une jeune femme pleine de joie de vivre (le grand écart de l'oreille). En regardant le premier poster, *Smells Like Teen Spirit*, je lui ai demandé ce qu'était pour lui « l'odeur de l'esprit d'un adolescent ». Il marmonna aussitôt : « Ça sent le cramé. » Cela promettait, même si je saluais à nouveau son sens de la repartie. Nous avons alors échangé quelques mots sur Kurt Cobain, et il parut intéressé par ce que je lui racontais. J'avais vécu comme une déflagration l'arrivée de ce groupe au son inédit en 1991 ; et plus encore, trois ans plus tard, le suicide de son chanteur. J'en ai profité pour enchaîner avec la fameuse malédiction des « 27 ans ». La liste noire de toutes les stars mortes à cet âge-là : Janis Joplin, Jimi Hendrix, Jim Morrison, Brian Jones, Amy Winehouse. Mais je m'arrêtai subitement en pleine anecdote sinistre. Je n'allais pas faire de Jérémie un confident en l'entraînant sur des pentes aussi morbides. Je le vis bien dans ses yeux légèrement écarquillés ; il me regardait comme si je venais de lui proposer un atelier pratique pour apprendre à se tailler les veines.

Il valait mieux passer à autre chose. En continuant mon inspection des lieux, je pus constater l'absence de livres. Il ne possédait que quelques classiques qu'il avait dû lire à l'école, comme *Zadig* ou *Le Rouge et le Noir*. Cela me surprit : sa référence à Amélie Nothomb lors de notre premier dîner m'avait laissé penser que j'avais affaire à un littéraire. Fausse piste. Il m'expliqua qu'il ne l'avait jamais lue, mais qu'une de ses amies en classe la vénérait. Elle faisait tout comme elle, s'habillant en noir et arborant de grands chapeaux. Pour créer une sorte de connivence entre nous, je lui ai dit que je connaissais Amélie assez bien, ce qui sembla le laisser complètement froid. Il avait dû percevoir la déception sur mon visage, voir que je ramais pour nouer un lien, alors il balbutia : « C'est Mbappé que je voudrais rencontrer. Vous le connaissez ? » Mince, je regrettais de ne l'avoir jamais croisé. Mon roman allait peut-être pâtir de mon manque de relations footballistiques. J'avais rencontré

Dominique Rocheteau quelques années plus tôt, au Salon du livre de Saint-Étienne, et nous avions parlé de son expérience de tournage avec Maurice Pialat. Mais je doutais que cela intéresse Jérémie. Il était préférable de changer de terrain.

Je me mis à lui poser des questions sur sa vie quotidienne, le lycée, ses amis. À ses réactions, j'avais le sentiment de le harceler. C'était clair : il regrettait de m'avoir laissé entrer dans sa chambre. Il aurait dû agir comme sa sœur et m'ignorer, se disait-il sûrement. Il répondait par politesse mais en restant la plupart du temps vague et flou. Il lui arrivait parfois de balbutier une sorte d'onomatopée sur laquelle Claude Lévi-Strauss aurait adoré se pencher. Bref, je n'arrivais pas à tirer quoi que ce soit de lui. Ce personnage était une impasse.

Je continuai néanmoins à l'interroger pour trouver de quoi écrire sur lui :

« Vraiment, tu n'as pas de passion ? demandai-je avec désinvolture, m'efforçant d'éviter un ton culpabilisateur.

— Moyen.

— C'est-à-dire ? Ça veut dire quoi *moyen* ?

— Ça veut dire j'ai moyen des passions.

— D'accord… Et la musique, tu aimes ça ? Les posters… Tu aimes Angèle ?

— Pas spécialement. J'ai fait des trous dans le mur quand j'étais petit, alors je les cache avec des posters.

— Tu écoutes quoi ?

— Il n'y a rien qui me vient, là.
— Et ton temps libre, tu l'occupes comment ?
— Je joue en ligne avec des potes.
— …
— Sinon, j'aime bien regarder des séries.
— Ah, très bien. Tu regardes quoi ? Il y en a une que tu pourrais me conseiller ?
— Je ne sais pas.
— Tu ne sais pas ? C'est-à-dire ?
— Il n'y en a aucune qui me vient, là.
— … »

Les séries, c'est un paysage qui défile. Des images qui passent devant les yeux et qui s'oublient une fois lancé l'épisode suivant. Mais Jérémie aurait pu faire un léger effort, citer un nom. Il me fallait sans cesse le relancer, lui demander de préciser, c'était épuisant de sens unique. Subitement, à ma grande surprise, il tenta d'alimenter le vide qui s'emparait de notre échange :

« Il y a une fille au lycée qui a fait une tentative de suicide.
— Ah… c'est terrible.
— Oui.
— Tu la connaissais ?
— Non. Je la croisais juste.
— Et tu sais ce qui s'est passé ?
— Au début, tout le monde a cru qu'elle avait été victime de harcèlement. Les profs n'arrêtent pas de nous sensibiliser à ça. Ils nous demandent de leur signaler immédiatement si on voit qu'un élève est l'objet de moqueries. Ou des choses comme ça.

— Et donc, ce n'était pas le cas pour cette fille ?
— Non. On a retrouvé une lettre dans sa chambre.
— Elle expliquait son geste ?
— Oui.
— Elle disait quoi ?
— C'est vraiment bizarre.
— Tu ne veux pas me le dire ?
— Si mais...
— Quoi ?
— Elle a dit que c'était un souhait de Satan. Elle a entendu une voix... la voix du diable qui lui disait de se tuer.
— Elle a écrit ça dans sa lettre ?
— Oui.
— Tu es sûr ou c'est ce qu'on t'a dit ?
— Non, j'ai vu la lettre. Il y a eu une copie qui a circulé au lycée. La lettre est incroyable.
— J'imagine.
— J'ai pu en faire une copie. Vous voulez la voir ?
— Oui bien sûr », dis-je en tentant de masquer une excitation morbide. Contre toute attente, il y avait là un rebondissement palpitant ; je pourrais peut-être faire une copie de la lettre et la mettre dans mon roman.

Jérémie s'est approché de son bureau, a ouvert un tiroir, puis s'est subitement tourné vers moi :
« Mais vous m'avez cru ?
— Quoi ?
— J'ai inventé tout ça. Pour vous.

— Mais pourquoi ?

— Je ne sais pas. Vous avez l'air déçu par ce que je raconte, alors je me suis dit que ça vous ferait plaisir.

— Me faire plaisir ? Je ne sais pas quoi dire… Tu es surprenant. Et non, je ne suis pas déçu du tout. Je suis désolé si tu as ressenti ça. J'ai envie de te suivre toi, savoir ce qui t'anime. Comment tu vois notre époque, et l'avenir. Je n'ai pas envie que tu inventes des choses pour moi. Même si j'avoue que tu as été très bon sur ce coup-là. J'y ai vraiment cru.

— Merci. »

Il y eut un silence. J'ai dû admettre en moi-même que j'avais été ridicule d'enchaîner les clichés sur lui et le temps de l'adolescence. Quelque chose semblait à présent s'allumer dans son regard. Pas non plus une grande flamme ; juste la lueur d'une bougie au loin. Contre toute attente, on pouvait parler, à propos de ce personnage, d'un début prometteur.

29

Une heure plus tard, nous étions tous les cinq autour de la table, dans la même configuration que la veille. Comme j'avais également réalisé des films, on me demanda si tel ou tel acteur était sympa. Je sortis quelques banalités d'usage sur chacun, ne me risquant pas à révéler les névroses de quiconque. On finit par enchaîner des généralités également dépourvues d'intérêt sur la météo ou la politique.

La famille Martin dînait souvent en regardant la télévision, et notamment le programme *C à vous*. Valérie en appréciait tout particulièrement l'animatrice, qu'elle avait croisée une fois dans une brocante du 15e arrondissement de Paris. Ma présence empêchait ce rituel cathodique et plongeait la famille dans l'obligation de parler. J'étais moi-même relativement gêné. Je n'osais regarder Patrick, de peur qu'il lise dans mes yeux ce que m'avait révélé sa femme. Je n'avais jamais été très doué pour cacher un secret[1]. Dès ce deuxième soir, mon projet prenait une étrange tournure. J'avais l'impression d'être au cœur d'une émission de télé-réalité, l'hystérie en moins.

Finalement, Patrick prit la parole :

« Je suis d'accord pour vous parler, pour que vous suiviez notre vie, comme l'a demandé ma femme, mais je ne pense pas que vous devriez venir dîner chez nous tous les soirs. Le mieux, ça serait sûrement d'avoir des rendez-vous individuels.

— Je pense que vous avez raison, en effet, dis-je.

— Venez déjeuner avec moi demain. Je vous montrerai mon environnement professionnel. Vous verrez que c'est moins sympa que d'être écrivain.

— Avec plaisir. Merci de m'aider.

1. Mon visage était un livre ouvert (à la page du dénouement).

— Et toi Lola ? demanda alors Valérie à sa fille, connaissant déjà sa réponse.

— Je n'ai pas changé d'avis. Je m'en fous d'être dans un livre. Et puis, je n'ai pas envie d'étaler ma vie privée comme ça.

— Ne sois pas vulgaire, s'il te plaît. Moi, je trouve que ça sera un souvenir magnifique. Peut-être que dans cent ans on parlera encore de nous.

— Euh oui, balbutiai-je, trouvant qu'elle me surestimait légèrement ; si on pouvait encore parler de mon livre deux semaines après la sortie, ce serait déjà très bien.

— Et puis, on pourra lire le manuscrit avant la publication, n'est-ce pas ? demanda Valérie, probablement pour rassurer sa fille.

— Bien sûr », répondis-je aussitôt, en me disant que mon roman n'aurait aucun intérêt si je le leur soumettais. J'avais peur qu'en découvrant les mots sur le papier, ils en viennent à empêcher le projet d'exister. C'était donc hors de question.

30

Le dîner fut rapide, et chacun regagna sa chambre. Je restai seul avec Valérie dans le salon, à boire une tisane. Je ne voulais pas revenir sur ce qu'elle m'avait dit à propos de son mari ; ce n'était pas le lieu. Je ne me voyais pas chuchoter. Pourtant, une question me taraudait : sa subite déclaration était-elle le fruit d'une longue réflexion ou une énonciation spontanée ? Dans le second cas, c'était peut-être notre conversation qui avait déclenché cette confidence. Allait-elle s'y tenir ? J'en doutais. On peut exprimer un désir d'ailleurs sans pour autant le concrétiser. Alors que je me laissais aller à imaginer les chemins sentimentaux de mon hôtesse, elle me regardait avec un grand sourire.

« Vous êtes vraiment particulier, vous.

— Ah bon ? C'est positif ?

— Oui. J'adore. Je vous ai trouvé très bizarre au début, mais là, j'avoue que je commence à m'attacher.

— ... »

Elle se mit à rire, assez fière de sa réplique, semblait-il. Je ne la connaissais que depuis deux jours, mais j'avais l'impression qu'elle n'avait pas ri depuis longtemps. Son visage semblait surpris d'accueillir les manifestations d'une humeur joyeuse. Cette femme que j'avais découverte renfermée prenait à l'évidence du plaisir à l'aventure qui commençait.

Elle enchaîna :

« Je n'ai pas bien compris : votre femme est partie comme ça.

— Ce n'était pas ma femme.

— Oui, enfin, votre compagne.

— Valérie, je vous remercie pour tout. Mais vraiment je voudrais qu'on évite de parler de moi.

— Je sais, j'ai compris. Mais j'ai besoin de savoir à qui je parle. Et vous ne ressemblez pas du tout à ce qu'on dit de vous sur Internet.

— Je ne sais pas à quoi je ressemble. Et je ne veux certainement pas me cacher. Je comprends votre désir d'échange ou d'équilibrer les conversations. Mais je suis là pour écrire un livre sur vous, et pas sur moi.

— C'est frustrant tout de même. J'ai envie de mieux vous connaître.

— Nous parlerons de moi plus tard, d'accord ?

— Entendu. Mais laissez-moi au moins vous poser une question par jour. C'est raisonnable.

— Une question par jour ?

— Oui.

— C'est d'accord », dis-je en esquissant un sourire.

À ce rythme-là, il lui faudrait plusieurs années pour comprendre mon histoire avec Marie. Je me posais sans cesse des questions depuis notre séparation, et je n'avais pas l'ombre d'une réponse. Pire, tout me paraissait de plus en plus étrange et incertain, je n'étais pas tout à fait sûr d'avoir vécu la même histoire qu'elle.

31

Une fois évacuée l'attaque autobiographique, j'ai repris le dessus. Je voulais profiter de notre moment à deux pour parler de Madeleine, et de sa confidence. Que savait Valérie du premier amour de sa mère ? Pas grand-chose, me dit-elle. Il avait été évoqué quelques fois furtivement ; tout au plus connaissait-elle le prénom de l'homme et quelques détails infimes, mais elle n'avait jamais mesuré l'intensité de leur relation. Elle parut surprise de ce que je lui en appris. Tout en admettant qu'on se confessait plus facilement à un inconnu. C'était ce qu'elle éprouvait également. Mais Madeleine avait surtout caché son passé amoureux pour préserver le père de ses filles. D'ailleurs, Valérie n'était même pas sûre de vouloir en savoir plus ; elle eut une sorte de moue dubitative, frôlant le dégoût. Il faut dire aussi que c'était sûrement étrange pour Valérie d'imaginer sa mère dans une passion dévastatrice, alors qu'elle l'avait toujours vue évoluer dans le monde du cœur raisonnable.

Je lui ai montré la photo d'Yves Grimbert, celle trouvée sur Facebook. Elle se leva subitement pour aller chercher une bouteille. « Vous ne trouvez pas que ce qu'on vit est beaucoup plus whisky que tisane ? » dit-elle, presque tragiquement. J'étais totalement d'accord[1]. Certes, je ne supportais pas vraiment l'alcool fort et préférais nettement le vin. Mais je voulais être docile, imprégner le moins possible cette histoire de mes goûts. J'ai finalement apprécié cette chaleur qui irradiait ma gorge ; ma tête se mit à chauffer gentiment, et je regrettai presque d'avoir passé tant d'années

1. On pourrait associer chaque événement de notre vie à une tonalité liquide ; il y a des moments citron pressé et des moments vodka cerise. Ce matin par exemple, je me sentais assez excité par mon projet, une ambiance totalement jus de papaye.

de beuverie à l’abri du whisky. Une boisson qui nous propulsa vers la partie sombre de l’histoire, la partie douloureuse. Madeleine n’avait jamais su pourquoi Yves était subitement parti aux États-Unis. Il n’avait sans doute pas eu la force de lui dire la vérité, mais quelle vérité ? Les années étaient passées, laissant l’incompréhension comme au premier jour, et voilà qu’un écrivain français ramassait maintenant les miettes d’un désespoir intact.

32

Je ne sais combien de temps dura notre échange, mais au bout d’un moment, Patrick fit son retour dans le salon. Enfin, juste au seuil de la pièce ; un pied restant dans le couloir. Il nous observa, entre stupéfaction et agacement : « Vous êtes en train de boire un whisky ? » finit-il par articuler, alors qu’il était face à la réponse. J’admis que cela pouvait lui paraître incongru de voir sa femme s’enivrer avec un parfait inconnu dans son salon. Il voulait bien m’aider dans mon projet, mais il y avait des limites. Il était temps que je parte.

Nous nous sommes rapidement salués tous les trois. Une fois sur le palier, j’ai cru déceler derrière la porte quelques mots un peu vifs. Ma présence tardive avait semble-t-il déclenché une scène. Je devais faire attention à ne pas perturber l’équilibre de cette famille ; ne pas endommager l’écosystème des Martin. Au moment où l'ascenseur arriva, je n'entendais plus rien. C'est peut-être ainsi qu'on mesure le degré d'usure d'un couple : quand les disputes ne durent que quelques secondes.

33

En rentrant chez moi à pied, j'ai repensé à la richesse de tous les éléments que j'avais récoltés. Un peu plus tôt dans la journée, après avoir pensé à *Six personnages en quête d'auteur*, j'avais retrouvé la pièce de Pirandello dans ma bibliothèque. En la parcourant, j'étais tombé sur cette phrase : « La vie est pleine d'absurdités qui peuvent avoir l'effronterie de ne pas paraître vraisemblables. Savez-vous pourquoi ? Parce que ces absurdités sont vraies. » Ainsi, le vrai paraît souvent improbable. J'avais peur de m'emparer du réel, et qu'on l'estime moins crédible que la fiction. Je redoutais qu'on puisse ne pas me croire, qu'on se dise que toute cette histoire était inventée ; qu'on se dise que je n'étais jamais descendu de chez moi pour aborder la première personne venue. Il m'arrive parfois de dire la vérité, et cela sonne comme un mensonge. Mais je n'y peux rien : la vie est peu plausible.

Dans mon salon, assis sur mon canapé, je suis resté un instant immobile. Ma tête chauffait à cause de l'alcool, sensation que je trouvais plutôt agréable. Je me souviens aussi d'avoir aimé, à cet instant, le sentiment de solitude qui s'est emparé de moi.

Quelques minutes plus tard (mais peut-être que ce temps d'arrêt avait été plus long), je me suis levé pour aller vers mon bureau. Ce bureau même où j'allais passer des heures à transformer en roman ce que j'étais en train de vivre. Il était évident que je devais noter à chaque fois, au plus vite, ce que je récoltais. Je n'avais aucune confiance en ma mémoire.

CE QUE JE SAIS DE MES PERSONNAGES (2)

Madeleine Tricot. Malgré ce que m'a dit sa fille à propos de sa santé, je la trouve plutôt vaillante et lucide sur son passé. A précisé les éléments de sa passion de jeunesse. On peut considérer qu'il s'agit là de l'amour d'une vie. Il s'appelle Yves Grimbert et vit aux États-Unis. Nous avons regardé la photo de cet homme sur Facebook. Je pourrais tout à fait lui écrire depuis mon profil. Les raisons de son départ demeurent mystérieuses. Madeleine n'a cessé de penser à lui. Cette histoire me plaît particulièrement. Va-t-elle prendre le dessus sur le reste du livre ? Tendresse également pour René (j'aime les figures de l'ombre et les oubliés). Quelques bonnes anecdotes sur Lagerfeld que je garde sous le coude.

Valérie Martin. A totalement changé d'attitude vis-à-vis de moi. S'est révélée enthousiasmée par mon projet. On sent qu'elle a très envie de parler. Insiste également beaucoup pour en savoir plus sur moi. Je dois trouver un moyen d'esquiver ses questions. Sentiment qu'elle éprouve un ennui général. N'est plus motivée par son travail. Information capitale : elle souhaite quitter son mari. Est-ce une déprime passagère ? Une vraie décision ? J'ai peur qu'elle agisse pour se rendre intéressante dans le roman.

Patrick Martin. Toujours un peu méfiant à mon égard. Rien de nouveau aujourd'hui, mais m'a proposé de déjeuner avec lui demain. Semble uniquement préoccupé par ses soucis professionnels, et sa convocation à venir. Sa réaction de jalousie en fin de soirée me donne toutefois le sentiment qu'il est encore très amoureux de sa femme.

Jérémie Martin. Ne semble pas avoir une grande confiance en lui, ce qui paraît assez naturel pour un adolescent. Étonnante tentative de participer à mon roman avec une anecdote inventée de toutes pièces. Impression que ce personnage a un fort potentiel pour me surprendre.

Lola Martin. Même situation. Elle ne veut pas que j'écrive sur elle. Rien ne presse.

34

Avant de me coucher, j'ai écrit à Marie: «Tu préfères toujours la solitude?», mais je n'ai pas envoyé le message. Je n'avais pas envie de parler d'elle maintenant, ni qu'elle apparaisse dans le roman.

35

Le soleil s'est levé sur la troisième journée de mon roman. En prenant mon café, j'ai allumé mon ordinateur. J'ai décidé de ne pas répondre aux mails reçus, de considérer tout élément extérieur comme une entrave à mon projet. La famille Martin était ma religion maintenant. J'en étais devenu un pratiquant assidu, à la limite de l'intolérance vis-à-vis du reste du monde. En cours d'écriture, il ne faut pas se laisser distraire par d'autres histoires. J'ai parfois perdu des phrases en me dispersant. Et les tentations sont si nombreuses; l'imagination produit si souvent des intrigues parallèles, tels des adultères de la narration.

J'ai commencé à mettre en forme les éléments que je possédais. La couleur de mes personnages apparaissait progressivement. Au bout d'un moment, je me suis tout de même demandé: est-ce que cette famille me passionne vraiment? Ne suis-je pas en train de me forcer à éprouver un intérêt pour elle afin d'être en accord avec mon postulat de départ ? Pour ne pas me dédire, je refuse peut-être de voir la banalité, et je fais porter au réel le vêtement du merveilleux. J'avais eu le sentiment de toucher à une vérité romanesque excitante, mais je doutais à présent. À vrai dire, j'avais l'habitude. Chaque livre s'était construit autour du rejet de ce que j'avais adoré la veille. Je n'ai jamais écrit dans l'aisance de la certitude.

J'en étais là de mes pensées cyclothymiques quand la sonnerie de l'interphone m'interrompit. Habituellement, je ne réponds pas. Quand j'écris, je fais le mort[1]. Mais j'ai eu l'intuition que cette irruption avait un lien avec mon projet. C'était effectivement le cas : Madeleine était en bas de chez moi. J'ai enfilé rapidement des vêtements, et suis descendu à sa rencontre. Elle savait que j'habitais cet immeuble (je le lui avais montré lors de notre premier échange). Elle n'avait pas pensé à demander mon numéro de téléphone à sa fille, et voulait me parler au plus vite. Qu'y avait-il de si urgent ? J'ai voulu lui proposer de monter boire un café mais, au moment même où j'allais formuler l'invitation, une vision de mon appartement s'est imposée à mes yeux. Il y avait trop de désordre. Si elle voyait comment je vivais, il était probable qu'elle fasse marche arrière dans notre relation naissante. Personnellement, je ne confierais rien

1. Phrase à méditer plus tard.

d'intime à quelqu'un qui laisse pendant des jours des assiettes sales dans l'évier. Certes, j'étais écrivain : l'alibi par excellence à toutes les vicissitudes et tous les laxismes. Je pouvais toujours dire que, en période d'écriture, j'étais dans l'incapacité absolue de m'encombrer de la moindre action pragmatique.

Nous sommes finalement allés dans le café situé au bout de la rue. À cette heure, dans le ventre mou de la matinée, l'endroit était vide. Si Madeleine s'était réveillée avec le sentiment qu'elle devait me parler rapidement, elle ne semblait plus pressée du tout à présent. Une forme d'apaisement était posée sur son visage ; elle paraissait comme rajeunie. Quelque chose dérapait du quotidien, et la propulsait dans ce que j'appellerais *une petite frénésie*. Depuis quand n'avait-elle pas vécu un tel hors-piste du prévu ? Je la sentais heureuse de traverser ces heures au goût d'inédit.

Il était temps qu'elle m'explique l'urgence de nos retrouvailles. Pendant une grande partie de la nuit, elle avait repensé à notre conversation ; à nos mots bien sûr, mais surtout au visage d'Yves. Cela l'avait complètement déstabilisée qu'il puisse surgir ainsi du passé. Et de manière si rapide. Un nom tapé sur un téléphone, et le visage d'un amour de jeunesse qui apparaît. Je comprenais que ce puisse être déroutant. J'ai expliqué à Madeleine que nous avions eu de la chance qu'il ait un profil Facebook ; les recherches sont rarement aussi simples. Par ailleurs, en parcourant la page d'Yves Grimbert, j'ai constaté qu'elle n'avait pas été alimentée depuis un peu plus de deux ans. Je lui avais fait une demande d'amitié aussitôt la page trouvée, et elle n'avait toujours pas été acceptée. Je n'osais dire que l'idée m'avait traversé qu'il était peut-être mort. De nombreux profils demeurent actifs après une disparition. J'avais moi-même parmi mes amis des personnes décédées ; cela me bouleversait d'avoir une notification le jour de leur anniversaire. C'est l'une des violences contemporaines que de devoir se désabonner d'un profil obsolète ou de supprimer de son répertoire le contact téléphonique d'une personne qui n'est plus là.

Pourquoi mon esprit avait-il à nouveau divagué vers le morbide, vers la pire version de l'histoire à venir ? J'étais face à une femme pleine d'espoir, qui répéta ce qu'elle m'avait dit la veille : « Je veux retrouver Yves. Je ne sais pas combien de temps il me reste à vivre encore, mais je ne peux pas partir sans l'avoir revu une dernière fois. Le revoir et le serrer dans mes bras. J'ai besoin de lui demander pourquoi il est parti. Lui demander s'il a pensé à moi pendant ces années. Même une minute, je veux le revoir… » Elle avait prononcé ces mots comme si elle les connaissait par cœur. Il habitait Los Angeles ; elle partirait donc là-bas, le plus tôt possible. On la sentait déterminée. La femme qui cherchait ses mots, hésitante, n'existait plus. Je l'imaginais déjà dans ce périple un peu fou. C'est alors que je lui demandai pourquoi elle était venue me voir.

Elle me répondit simplement : « Comme tout est de votre faute, je veux que vous veniez avec moi. »

36

J'avais abordé une femme au hasard, et deux jours après elle voulait partir avec moi à l'autre bout du monde pour retrouver son amour de jeunesse. Je pouvais difficilement espérer meilleur début d'intrigue, à part éventuellement la révélation d'un crime inavoué et qui aurait hanté sa conscience depuis des décennies. J'étais si enthousiaste à l'idée de devenir le témoin de cette histoire, d'être aux premières loges de ces retrouvailles. Je cherchais déjà en moi les mots pour décrire leurs visages. Mon livre n'avait peut-être de sens que pour cette scène-là.

Bien sûr, la suite demeurait hypothétique. Je n'avais pas encore de réponse de cet homme. S'il ne réagissait pas à ma demande sur Facebook, je lui adresserais tout de même un message. Mais dans ce cas, j'avais peur qu'il ne le lise pas. Je me perdais dans des considérations modernes, sans être bien certain de les maîtriser. Je n'avais jamais été un passionné de technologie, et je m'étais plutôt tenu à l'écart des réseaux sociaux, de peur d'y perdre trop de temps. Pour un boulimique de curiosité, cela représentait un danger abyssal. Cela m'allait très bien d'avoir un compte

Facebook, puisque l'activité y déclinait au profit d'Instagram. J'avais également cherché des informations à propos d'Yves Grimbert sur Google, mais je n'avais rien trouvé. Il me paraissait étonnant que l'on puisse ainsi passer entre les mailles du filet virtuel. Il y a toujours un moment où on est cité quelque part. Quelques homonymes s'étaient distingués ici ou là, mais personne à Los Angeles.

Même si je n'avais aucune certitude sur ce qu'il allait advenir, je devais parler de ce projet à Valérie. Elle s'opposerait sans doute à ce que sa mère entreprenne un tel voyage. Vient un temps où les enfants deviennent les parents de leurs parents, et leur fixent un cadre de ce qui est acceptable ou pas. Mais Madeleine se passerait, j'en étais sûr, de la bénédiction de sa fille. Je la sentais animée par une telle force de certitude.

37

En attendant, je devais retrouver Patrick pour le déjeuner. Mon emploi du temps avait rarement été aussi chargé, et jamais je n'avais enchaîné les entretiens avec les membres d'une même famille, pas même la mienne. C'était mon côté *Théorème* de Pasolini, la perversion et les rapports sexuels en moins. Je ne pensais pas avoir beaucoup d'affinités avec Patrick, et cela m'arrangeait d'une certaine façon. Je trouvais intéressant de me confronter à un personnage potentiellement hostile à ma démarche ou qui ne m'apprécierait pas.

Il m'accueillit avec juste ce qu'il fallait de politesse. Sûrement avait-il accepté pour faire plaisir à sa femme ; il était dans cette période de la vie où il paraissait plus simple de céder. Tout comme Valérie, il avait finalement décidé que nous nous retrouvions dans un restaurant près de son travail. J'avais pourtant fantasmé sur cette grande tour consacrée aux assurances, avec son self rempli de salariés. Cette vie-là me fascinait. Quand j'allais rencontrer des élèves dans les lycées pour parler de mes livres, je demandais toujours qu'on déjeune à la cantine. Je pouvais atteindre une sorte d'orgasme gastronomique avec un œuf mayonnaise servi dans une petite assiette en plastique.

J'aurais surtout préféré observer son environnement professionnel pour mieux le comprendre. Après le déjeuner, nous pourrions peut-être faire un tour au 14e étage, là où se situait son bureau. Patrick avait précisé : « Techniquement, je suis au 13e étage, mais comme ça porte malheur, il n'y a pas de 13e étage dans l'immeuble. Je trouve ça absurde, car l'appellation ne fait rien à la malédiction. Si on est superstitieux, on sait très bien qu'on est au 13e étage, peu importe qu'il y ait marqué 14e sur le bouton de l'ascenseur ! » Je ne savais pas comment rebondir sur ce commentaire que je trouvais pétri de bon sens, alors j'ai simplement fait un signe de tête marquant mon accord total.

38

Quelques minutes plus tard, nous étions installés dans un restaurant italien qui proposait une formule tout compris pour le déjeuner. Patrick a opté pour celle-ci sans vraiment regarder le détail. Les nappes en papier à carreaux et les bougies éteintes offraient au lieu l'éclat d'un vestige romantique, ce qui achevait de donner à ce rendez-vous une atmosphère improbable. L'homme qui se trouvait devant moi allait devoir accomplir un effort social ; son désir de parler était loin d'être flagrant. On n'allait pas tergiverser pendant de longues minutes ; je suis allé à l'essentiel en me permettant de lui dire qu'il ne respirait pas la joie de vivre, et qu'à l'évidence il traversait une très mauvaise passe. Plus précisément, voici ce que j'ai dit :

« Ça a l'air dur en ce moment.

— Oui.

— Ce que vous m'avez raconté hier, on sent bien que ça vous mine.

— Oui.

— Je ne veux pas vous embêter avec mon projet, mais je serais heureux qu'on puisse en parler. De ce que vous ressentez. De ce que vous vivez. J'ai l'impression que vous n'allez pas bien… »

Il est resté sans rien dire, comme abasourdi. Moi, un inconnu, j'étais en train de dresser un constat sinistre de son quotidien. Sans compter qu'il n'avait rien demandé. J'avais pris un très mauvais départ. J'aurais d'abord dû évoquer un souvenir joyeux, un je-ne-sais-quoi de coloré dans sa mémoire. J'ai cru qu'il allait se lever et partir, mais il s'est mis à parler. La période était effectivement rude, et il ne savait pas comment faire pour s'extirper de ce tourbillon infernal. « Vous êtes victime de harcèlement », ai-je simplement énoncé avec compassion, en partie pour compenser le ton abrupt de mon entrée en matière. Il parut presque surpris qu'on puisse ainsi définir le chaos dans lequel il évoluait. Il précisa qu'il n'était pas en cause personnellement, mais que c'était toute la restructuration actuelle qui posait problème. L'arrivée de Desjoyaux, le nouveau directeur général, avait plongé tout le monde dans un enfer. Patrick répéta presque mot pour mot ce qu'il m'avait déjà dit au premier dîner ; le refrain de son désarroi. Je lui ai alors demandé comment c'était avant ; il fallait s'enfuir du présent.

Au moment même où il se mit à évoquer ce qui pouvait s'apparenter à un âge d'or, son visage reprit quelques couleurs. Au début de sa carrière, tout paraissait possible. En tant que commercial, il se déplaçait presque tous les jours pour rendre visite à des clients. Il éprouvait le sentiment d'une vie frénétique, y compris quand il s'agissait d'aller rencontrer un dentiste dans une banlieue paumée. Il aimait tellement son métier, et s'estimait utile : vendre une assurance n'était pas une tentative d'extorquer une cotisation à un particulier mais de le protéger contre un risque potentiel. En exagérant à peine, il se voyait comme une sorte de sauveur par anticipation. À chaque contrat signé, il éprouvait un frisson dans le dos (chacun ses plaisirs). Vu ses succès, il finit par intégrer la direction du groupe. Une promotion qu'il n'avait pas pu refuser, mais qui lui avait laissé un goût amer. Est-il possible qu'une progression au sein de l'entreprise soit vécue comme une régression personnelle ? Il regrettait le temps de l'errance. Quand on le recevait à coups de : « Ah, monsieur Martin, je vous sers un petit café ? » Ou si nous étions en fin de journée : « Vous n'allez pas partir sans boire un petit coup. J'ai un très bon petit juliénas, vous m'en direz des nouvelles… » Ces moments de plaisir avec les clients lui manquaient. Passer des heures à analyser des statistiques ne l'excitait pas. Il avait parfois pensé à changer de voie, mais pour aller où ? C'était ce sentiment qui l'effrayait le plus, celui de ne pas avoir d'alternative. Il lui arrivait bien sûr de prendre un peu de plaisir. C'était tout de même magnifique de participer à l'essor de sa compagnie. Et il était heureux de bien faire son travail. Cela avait une grande importance à ses yeux. Patrick avait toujours eu un côté bon élève[1].

1. Et pas que, d'ailleurs : il avait été un bon fils, un bon citoyen, un bon mari, un bon père ; bref, il cochait toutes les cases de l'homme qui ne va pas tarder à exploser.

Depuis la crise financière de 2008, quantité de choses avaient changé. Il y avait eu des pertes, qui avaient conduit à de nombreux licenciements, qui eux-mêmes avaient conduit à de nouvelles cadences devenues infernales. La vie professionnelle de Patrick s'apparentait à une succession de plans de restructuration. Des plans dans lesquels l'humain avait été décoté progressivement. Et puis un nouveau directeur général était arrivé : Jean-Paul Desjoyaux. Un homme long et sec qui aurait pu avoir été sculpté par Giacometti ; mais il était à l'évidence moins plaisant à regarder qu'une œuvre du génie suisse. D'emblée, il avait donné une étrange consigne : on ne devait jamais s'adresser à lui en premier. Certains avaient cru à une rumeur, mais non, c'était vrai. En tout cas, personne n'allait s'aventurer à contredire ce diktat relationnel. Ainsi, quand on le croisait dans un couloir, il était prohibé de lui dire bonjour avant qu'il n'émette en premier une parole. Les jours où il ne voulait pas s'encombrer d'échanges de politesses, il pouvait traverser tout un étage dans un silence absolu. En revanche, dès qu'il s'adressait à quelqu'un, ce dernier devait immédiatement être réactif. La relation était à sens unique. Mine de rien, cela propulsait les employés dans une sorte d'angoisse permanente ; en croisant Desjoyaux, ils ne savaient jamais, jusqu'au dernier moment, s'ils allaient devoir se taire ou parler. Certaines tortures ont le goût de l'anodin.

À nouveau, Patrick revint sur sa convocation. « Soixante-douze heures de supplice », dit-il carrément. Plus qu'une journée avant de savoir ce que lui voulait Desjoyaux. Son licenciement était peut-être imminent. Il l'avait anticipé d'ailleurs ; pas comme d'autres de ses collègues qui avaient été complètement sonnés en apprenant leur éviction. Il pensait notamment à Gerbier, prostré depuis trois mois dans sa chambre. Après Lambert, c'était la seconde fois qu'il évoquait la trajectoire d'un employé brutalement évincé. Patrick appelait régulièrement sa femme pour avoir de ses nouvelles, et la situation ne semblait pas évoluer. Cet homme qu'il avait connu si enjoué et respirant la joie de vivre végétait dans son lit. Il ne voulait plus sortir, plus voir personne, pas même ses enfants. Il s'était laissé envahir par le sentiment de son inutilité. Patrick pensait qu'il n'aurait pas la force de se tuer, mais c'était tout comme. Les humiliations incessantes l'avaient jeté à terre, faisant de cet homme une ombre. Il ne savait que faire pour l'aider, à part passer quelques appels à sa femme, simplement pour témoigner une présence, fût-elle vocale.

L'exemple de Gerbier lui avait permis d'anticiper sa potentielle exclusion. Disons qu'il s'était préparé psychologiquement, selon l'expression commune. Une expression peu convaincante, dans le sens où il reste difficile de mesurer les effets d'une situation avant de la vivre réellement. En tout cas, Patrick avait tenté de se projeter dans cette autre vie. Avec son expérience, il pourrait sûrement retrouver du travail, mais cela prendrait du temps ; à son niveau, les offres étaient rares. Il y aurait bien sûr l'inquiétude financière, mais une autre chose le hantait. Comment allait-il remplir ces semaines ou ces mois de rien ? Il ne connaissait pas le mode d'emploi de la vie sans emploi. Patrick s'était posé des questions : avait-il des passions ? Si étrange que cela puisse paraître, il avait le sentiment que le stress accumulé les dernières années avait fait de lui une coquille vide. Il ne se sentait plus le moindre désir. Alors non, il n'avait pas vraiment de passions. Aucune envie de cinéma, lecture, musée, promenade, voyage, sport… Il s'imaginait errer des journées entières comme un soldat sans combat. En attendant le verdict, il était obsédé par l'image de ces heures vides.

39

Les années passaient et quelque chose lui échappait. Nous avions à peu près le même âge. On pouvait se comprendre. Quand la cinquantaine arrive, on est trop vieux pour être jeune. Mais on est encore un peu jeune pour être vieux. On navigue dans un entre-deux inconfortable. Patrick se disait qu'il avait passé tant d'années à accomplir son destin : construire une famille et une carrière. Mais que restait-il de tout ça ? Des enfants grands qui seraient bientôt partis, un mariage à la saveur fanée, et une vie professionnelle qui fonçait dans un mur. Je comprenais ce qu'il éprouvait. J'ai prononcé quelques phrases un peu convenues sur la capacité humaine à rebondir, sur le fait que la situation n'avait rien de tragique pour le moment. Mais à chaque fois que j'émettais une opinion, il répétait inlassablement : « Oui, c'est facile pour toi de dire ça[1]... ». Il imaginait ma vie comme un royaume sans contrainte, exempt de toute difficulté. Je n'ai pas réagi pour éviter de parler de moi, mais je me suis permis d'émettre mon avis :

« Rien ne t'oblige à subir. Tu as une carrière brillante. Je suis certain que tu peux trouver du travail ailleurs. Tu as des ressources...

— On voit que tu ne vis pas dans la réalité. J'ai un crédit à rembourser, les études des enfants à financer, mes parents à aider. Et il y a toujours un truc à payer.

— ...

— Tu peux m'expliquer pourquoi tous les enfants ont les dents de travers et qu'il faut leur mettre un appareil qui coûte un bras ? À notre époque, ça n'existait pas tout ça.

— Oui mais regarde nos dents, ai-je dit pour tenter de le faire sourire.

— Tu comprends ce que je veux dire ? Je ressens une telle pression. Ça m'étouffe. Alors, c'est facile de dire que je peux changer de vie comme ça. Dans ton monde peut-être, mais pas dans le mien.

1. Nous étions passés au tutoiement juste avant l'arrivée des aubergines gratinées.

— Je te dis juste d'essayer d'être un peu positif. Tout ce que tu as réussi, ce n'est pas rien quand même.

— Oui… c'est vrai… », finit par admettre Patrick au moment où le serveur lui apportait une île flottante.

Il observa son dessert un court instant sans rien dire ; dans ses yeux, je vis que cela le mettait en joie. Oui, grâce à cette île, je voyais quelque chose s'allumer en lui pour la première fois depuis le début de notre conversation. Quand on en vient à trouver du réconfort dans un dessert, les choses vont effectivement mal. Il semblait perdu comme un enfant, plus vraiment à même de prendre des décisions d'adulte. Cet homme que j'avais jugé trop vite était touchant. Il se sentait perdu professionnellement, et cela rejaillissait forcément sur sa vie de couple. Valérie avait tenu des propos si durs à son égard. Était-elle tout à fait lucide ? J'étais disposé à vanter les qualités de Patrick auprès de sa femme, à plaider les circonstances atténuantes, mais était-ce mon rôle ? Je voulais écrire un livre, pas devenir une sorte d'entremetteur. Mais en m'immisçant ainsi dans la vie d'une famille, je me retrouvais au carrefour de tous ses problèmes. J'avais une vision d'ensemble ; le spectateur d'un orchestre dissonant.

Certes, leur couple était en crise. Mais, soyons honnête, qui n'est pas en crise ? La vie est une suite de crises. Qu'elles soient individuelles (adolescence, quarantaine, existentielle) ou collectives (financière, morale, sanitaire). Et je passe sur les manifestations du corps (le foie ou les nerfs, par exemple). Le monde occidental a fait de la crise un slogan tout-terrain. Au fond cela renvoie à la solitude absolue de chacun. Je pense si souvent à cette célèbre phrase d'Albert Cohen : « Chaque homme est seul et tous se fichent de tous et nos douleurs sont une île déserte. » Espérons au moins que cette île soit flottante.

40

Encore une fois, je devais faire attention à ne pas trop m'impliquer. Je n'étais pas là pour donner mon avis, mais pour écrire leur vie. Je devais continuer à le faire parler, y compris de ce qui pouvait faire mal.

Alors que Patrick savourait son dessert, avec tout le plaisir qu'y ajoute la lenteur, j'attaquai le volet de la vie sentimentale. Il leva les yeux vers moi, et je sentis son hésitation : avait-il envie de me répondre ? Probablement que non. Il avait tout de l'homme pudique qui ne se confie jamais, même à ses amis les plus proches. Il préféra me retourner la question :

« Et toi, quelle a été ta plus longue relation ?

— Moi ? Je dirais… sept ans, répondis-je sans être certain de la durée exacte de l'histoire à laquelle je pensais, car il y avait eu plusieurs séparations, comme des interruptions du cœur, mais il me semblait que, bout à bout, notre relation avait approximativement duré ce temps-là.

— Alors tu ne peux pas comprendre.

— Pourquoi ?

— Vivre depuis vingt-cinq ans avec la même personne est une fiction pour toi. »

Sur ce point, il n'avait pas tort. Même si j'avais le sentiment d'avoir expérimenté la lassitude ou la complexité d'un couple sur la durée, je ne pouvais pas imaginer ce qu'on éprouvait sur une si longue période. Je sentais dans son regard qu'il jugeait ma vie amoureuse à l'aune de mon métier. Selon lui, avoir vécu plusieurs couples était presque la marque de fabrique d'une vie d'artiste. Il continuait à nager dans les clichés. Je n'osais lui dire que, pour moi, c'était lui l'artiste. Pour passer autant de temps avec quelqu'un, il faut avoir tout de même un sacré sens de la performance (chacun ses sarcasmes).

« Malgré tout le talent que tu as sûrement, je ne pense pas que tu puisses imaginer ce que je vis, reprit-il.

— Justement, c'est l'essence même de mon projet. Essayer de comprendre les enjeux d'un réel qui n'est pas le mien.

— Pourquoi n'écris-tu pas sur toi ? Tous les écrivains font ça.

— Cela ne m'intéresse pas.

— Et tu crois que ce que j'ai à dire est plus intéressant?

— Oui. Tu viens de le dire. Je ne peux pas savoir ce que c'est une longue vie à deux. Alors, raconte-moi.»

Patrick regarda sa montre; il devait retourner au bureau. Mais il voyait bien que je ne voulais pas qu'il me laisse ainsi, sur le rivage du récit amoureux. Il finit par dire qu'il prétexterait un rendez-vous à l'extérieur pour rester un peu plus longtemps avec moi. Je crois surtout qu'il avait envie de parler; en annonçant qu'il me faisait une fleur, il s'offrait tout le bouquet. Il se mit à évoquer son histoire: «Il n'y a rien à dire, je crois. C'est classique. Je veux dire, l'usure, c'est triste mais c'est classique. Le problème finalement c'est le corps. Oui, tout le problème, c'est le corps. Il y a un jour dans une histoire où il arrive quelque chose de très bizarre, et de terrible même. On fait l'amour sans le vouloir. On fait l'amour par obligation, par pression de devoir montrer qu'on a toujours du désir. Je me souviens très bien de ce moment-là. J'étais fatigué, je voulais dormir, mais j'ai vu dans le regard de Valérie qu'elle se disait: encore un soir sans rapport sexuel. Je ne savais même plus à quand remontait notre dernière fois. On avait deux enfants, on vivait tout le temps ensemble, le désir s'était fortement émoussé. Alors, on s'est retrouvés à faire semblant tous les deux. On se demandait: comment font les autres? Ils mentent, ils se trompent, ils prennent des cachets? Valérie a voulu qu'on aille voir quelqu'un. Une sorte de conseiller qui nous aiderait à relancer le désir. C'est tellement con comme idée, mais bon j'ai suivi. Je voulais montrer que j'étais de bonne volonté. Mais il n'y avait rien à dire. La vie est mal faite, et c'est ainsi. Soit on s'accommode du manque de désir, soit on se quitte. Mais nous, on s'entendait vraiment très bien ; il n'y avait aucune raison à part ça de se quitter. On était d'accord sur l'éducation des enfants, on avait la même façon de voir les choses, on ne se disputait quasiment jamais. À un moment, je me suis même dit que c'était peut-être ça, le problème. Il aurait été plus facile de se détester ou se déchirer. Notre agonie était bienveillante, on se tenait gentiment la main dans le naufrage. J'ai pensé avoir une aventure, mais je ne m'en sentais pas capable. Je ne jugeais pas du tout négativement certains de mes amis qui trompaient leur femme. Chacun fait ce qu'il peut avec son désir. Mais moi, je ne pouvais pas. Ce n'était même pas une question d'amour, je crois. J'avais le sentiment qu'en allant vers une autre femme, je signais la fin de notre histoire. Et je ne voulais pas ça. Je ne le veux toujours pas d'ailleurs. Je sais que nous sommes en souffrance de tendresse, je sais que je n'ai pas assez d'énergie pour elle, mais je ne pourrais pas vivre sans Valérie. J'ai besoin de sa présence. Même si on ne se parle pas, je sais qu'elle est là. Mais je vois bien qu'elle m'en veut, je vois bien qu'elle n'est plus heureuse, elle me fait des reproches sur ma léthargie, sur le fait que je n'organise jamais rien, que je ne suis plus capable de prendre des décisions, je le sais tout ça, mais c'est ce poids sur mes épaules qui m'empêche de réagir. Pendant longtemps, j'ai pensé que l'orage allait passer, ou disons la crise, que c'était passager, et qu'il y aurait de meilleurs jours, mais nous avons été aspirés par ce tourbillon négatif. Nous avons un mal fou à faire marche arrière vers le bonheur. Je ne sais pas comment faire pour que les choses changent… »

J'ai eu envie de lui dire : « Dis-lui tout ça, dis-lui exactement ce que tu viens de me dire », mais je sentais qu'il en serait incapable. Les plus belles déclarations s'adressent souvent aux mauvais destinataires. Notre conversation a pris fin ; il devait retourner au travail. Devant le restaurant, nous nous sommes serré la main, presque comme des amis. Au bout de quelques mètres, il est revenu vers moi. Exactement comme Valérie l'avait fait pour m'annoncer son désir de séparation. Il est revenu pour me dire : « Tu sais, j'aime Valérie. Je l'aime vraiment. »

41

La lucidité de Patrick sur sa situation était totale. Certains de ses mots avaient été identiques à ceux de sa femme. Ils partageaient la même vision de leur quotidien, à la différence que Valérie voulait arrêter leur histoire. J'attendais toutefois de la revoir pour qu'elle me confirme son intention. Elle m'envoya, au moment même où je pensais à elle, un message pour savoir comment s'était passé mon déjeuner avec son mari. J'ai voulu lui répondre : « Vous lirez le livre. » Après tout, je n'avais pas à raconter ce que l'un me disait de l'autre. Il y avait une forme de secret professionnel dans mon entreprise. Mais j'imagine qu'elle voulait surtout savoir s'il avait été coopératif. Alors, j'ai répondu qu'il avait été parfaitement adorable.

J'allais peut-être finalement être l'artisan d'un rapprochement entre eux. Mais je devais prendre garde à ne pas me laisser trop contaminer par leurs histoires. J'étais sûrement trop sensible pour être ainsi le papier buvard de la souffrance des autres. Je me demandais comment faisaient les médecins ou les psys pour ne pas se laisser envahir par les douloureuses confessions ou les drames vécus par leurs patients. Fallait-il être comme un acteur qui rentre chez lui en ayant laissé son personnage dans les loges ? Je devais observer la famille Martin en tentant d'éprouver le moins d'empathie possible pour eux ; avoir une sorte de distance narrative un peu froide, clinique. Mais il était impossible d'écrire ainsi. On ne peut se passer d'éprouver organiquement son sujet.

J'avais été vraiment surpris par l'attitude de Patrick. Il avait joué le jeu au-delà de mes espérances, surtout en ce qui concernait sa vie sentimentale. Il s'était totalement livré, jusqu'à me laisser sur une déclaration d'amour. Bien sûr, je me doutais que ses mots étaient avant tout destinés à sa femme, et qu'en lisant mon livre elle comprendrait beaucoup de choses. Mais ce n'était pas cela uniquement qui avait motivé son attitude. Dans l'après-midi, il m'avait envoyé un message explicite : « J'espère que tu as tout ce qu'il te faut. C'était finalement agréable de te parler. Bon courage pour ton livre. » Je compris donc qu'il mettait fin à nos échanges. Il s'était confié totalement car, pour lui, cette rencontre serait la seule. Il était d'accord pour participer au projet, que je puisse avoir assez d'éléments pour faire de lui un personnage du livre, mais il ne voulait pas être suivi quotidiennement. Valérie allait me le confirmer le soir même.

Cette situation était frustrante. J'avais envie de le connaître bien davantage. Et je voulais savoir, par exemple, ce qui allait se passer lors de son rendez-vous avec Desjoyaux. Je détestais l'idée de laisser des intrigues inachevées. Valérie allait me rassurer sur ce point : elle me tiendrait au courant. Elle m'aiderait à composer la suite de l'histoire de son mari. Cela me convenait d'un point de vue narratif (je n'allais rien manquer des péripéties de Patrick) mais bien moins d'un point de vue émotionnel (j'allais parler d'un homme à travers le prisme de sa femme). C'était ainsi : je devais m'accommoder des souhaits de mes personnages. Telle était bien là la différence majeure avec la fiction. Dans un roman, je pouvais contraindre quiconque à tout me dévoiler.

42

Je devais retrouver Valérie vers 20 heures pour aller dîner. Elle avait évoqué un restaurant près de chez elle qui lui plaisait beaucoup. Dans son dernier message, elle avait ajouté : « Pouvez-vous passer d'abord en fin de journée à la maison ? Jérémie veut vous voir. » Tiens, l'adolescent se réveillait. Allait-il me dévoiler quelque secret ou sentiment intime ? J'étais heureux de cette nouvelle. Et puis, cela m'arrangeait car je voulais équilibrer les âges dans mes intrigues. Vu ce que j'allais vivre avec Madeleine, j'avais besoin d'adolescence pour harmoniser mon récit. Je vois toujours les livres à écrire comme des formes géométriques dont il faut doser les différentes forces en puissance pour produire une composition homogène. À mes yeux, un roman doit être rond.

En attendant cette nouvelle rencontre, je suis rentré chez moi. J'ai voulu noter ce que Patrick m'avait raconté, mais je me sentais épuisé. Écouter les autres requiert une attention de tous les instants, et fatigue bien plus que de parler. Pour une fois, je réussis même à m'endormir une vingtaine de minutes, phénomène très rare pour moi. Mon sommeil était une personnalité neurasthénique et instable. Pendant cette courte sieste, je fis un rêve étrange : Milan Kundera s'était approché de moi pour me murmurer quelque chose à l'oreille, mais je n'avais rien entendu. Son visage avait l'air si sérieux dans mon songe, comme s'il s'apprêtait à me révéler le plus précieux des secrets. Mais rien, je n'entendais rien. Je me suis réveillé un peu désespéré par ce silence; pourtant, cela avait été si réel. J'avais déjà eu la chance de croiser le grand écrivain, et il lui était arrivé de me téléphoner, ce qui avait été une forme de consécration dans la vie de mes oreilles. Mais pourquoi n'avais-je rien entendu dans mon rêve? Pas un mot, pas un soupir. J'aurais tellement voulu qu'il me guide un peu dans le dédale des virgules.

Je suis resté encore un moment dans cette atmosphère Kundera avant de rejoindre mon ordinateur. Je me suis connecté à mon compte Facebook. J'avais reçu quelques messages que je laissai sans réponse. Au risque de paraître impoli ou ingrat, je devais rester concentré sur mon projet. Avec les années, j'avais réussi à me détacher de ce qu'on pouvait penser de moi. Et cela me rendait heureux de ne plus vivre sous l'incessante pression du jugement d'autrui. C'est alors que je constatai qu'Yves Grimbert avait accepté ma demande d'amitié. Je ne sais pas pourquoi je ne l'avais pas immédiatement remarqué. J'ai ressenti aussitôt une incroyable excitation, comme s'il s'agissait de ma propre vie. L'impression de voir surgir de mon passé les amoureuses de mon enfance. Cécile Bleicher ou Célia Bouet. J'en tremblais presque. Je devais lui écrire, mais quoi? Comment trouver les mots? J'étais le porte-parole d'une histoire que je connaissais à peine. Je me suis dit qu'il fallait faire simple ; les faits, rien que les faits. J'étais un ami de Madeleine, et elle serait heureuse de le revoir. Voilà, c'était suffisant. Bien cordialement. Non, trop froid. Bien amicalement, c'est mieux. Oui, plus chaleureux. Et voilà, le message était parti.

Je suis resté fixé sur la page, le message avait été lu aussitôt. Assis sur ma chaise dans mon salon, j'avais l'impression d'être au cœur d'un film d'action. Je devais rester calme ; cela pouvait tout à fait être une autre personne qui s'occupait de son compte ; un de ses enfants par exemple. Je repartais à nouveau dans mes dérives pessimistes. Restons positif. Jusqu'ici, tout s'était admirablement bien passé pour mon roman, il n'y avait pas de raison que cela cesse. Oh ! Trois petits points venaient de se mettre en mouvement. C'était le signe qu'on me répondait. Yves Grimbert en personne était-il en train d'écrire ? Quelle heure était-il à Los Angeles ? Il y avait neuf heures de décalage. Il était donc 7 h 30 du matin. Voilà, je l'imaginais avec son café dans sa cuisine en train de me répondre ; ou peut-être était-il au lit avec son téléphone ? Non, je n'y croyais pas. Les seniors aux États-Unis se lèvent tôt ; ils font tout tôt d'ailleurs ; ils dînent vers 16 h 30 ou 17 heures. Pourquoi pensais-je à ces détails ? Pour meubler ce temps interminable des trois petits points en mouvement. Facebook a dû inventer ça pour qu'on reste connecté ; pour faire patienter le client entre deux échanges ; qu'un message soit attendu comme un artiste qui se prépare en coulisses ; pour ne jamais rompre le lien ; oui voilà, c'est ça : ne jamais rompre le lien ; même les silences entre deux phrases sont entrés dans le domaine du divertissement ; il se passe toujours quelque chose maintenant, y compris quand il ne se passe rien.

Enfin, il m'a répondu : « Cher Monsieur, je suis très ému à la lecture de votre message. C'est même un choc pour moi d'avoir des nouvelles de Madeleine ce matin. Je pense si souvent à elle. Je vous en prie, transmettez-lui mes pensées les plus fidèles. Et dites-lui bien que je serais plus qu'heureux de la revoir aussi. Cela fait très longtemps que je ne suis pas retourné en France. Mais si elle veut venir ici, j'en serais ravi. Merci encore d'avoir fait cette démarche pour elle. Bien amicalement, Yves. »

On pouvait officiellement considérer que j'avais un nouveau personnage dans mon roman. Et quelle entrée en matière élégante. Je voulais déjà tout savoir de lui. Qui était-il ? Comment vivait-il ? Et pourquoi avait-il quitté la France ? Je pensais à mon roman, et je pensais à Madeleine aussi. Elle serait sûrement bouleversée de ce lien retrouvé. On parle beaucoup du pouvoir de la littérature. Mais il était fou de songer que, depuis que j'avais commencé à écrire sur cette famille, tant d'aspects de leur vie étaient devenus si romanesques.

43

Avant de rejoindre Jérémie, je suis passé chez Madeleine pour lui annoncer la nouvelle. Elle ne parut pas surprise. Pour elle, les choses étaient limpides depuis ce matin. Elle n'avait pas imaginé d'autre scénario. La force de sa conviction continuait de me fasciner. Et sa force pragmatique aussi. Elle me tendit son passeport en me demandant si je pouvais commander les billets d'avion. J'étais devenu le secrétaire particulier de sa quête de mémoire. D'une manière foudroyante, j'ai eu le sentiment que quelque chose m'attendait moi aussi à Los Angeles ; mais je ne savais pas quoi.

Madeleine ne put s'empêcher de me proposer un thé (chacun ses rituels). Alors que nous étions tranquillement assis tous les deux, elle finit par me dire :

« En vous quittant ce matin, j'ai pensé qu'on ne se reverrait plus.

— Ah bon ? Pourquoi ?

— Vous avez d'autres choses à faire que de m'accompagner à l'autre bout du monde.

— Au contraire, c'est sûrement la partie la plus passionnante de mon projet.

— Vous le pensez vraiment ?

— Oui.

— Et vos lecteurs aussi ?

— On ne peut jamais savoir ce qui va intéresser un lecteur. Peut-être que certains sauteront toutes les pages du voyage. Mais je suis sûr que tous ceux qui éprouvent des regrets se reconnaîtront dans votre désir de retrouver cet homme.

— Tout le monde éprouve des regrets, non ?

— Alors, vous voyez, c'est bon signe. On aura tous les dépressifs avec nous, et ça fait beaucoup de monde, ça. »

Madeleine n'esquissa pas le moindre sourire. Il y avait une nouvelle gravité en elle. Ses propos m'avaient surpris. Comment avait-elle pu penser que je ne voudrais pas l'accompagner ? Elle avait dû se dire que ma démarche initiale avait été une sorte de lubie, mais qu'il ne fallait pas pousser trop loin le bouchon romanesque. Elle se trompait. Rarement une histoire m'avait autant passionné. Je ne pouvais qu'admettre le triomphe du réel. Par ailleurs, je fus étonné de constater que Madeleine, tout comme les autres personnages, s'inquiétait de savoir si sa vie allait intéresser mes lecteurs. C'était comme si le directeur marketing de ma maison d'édition s'était infiltré dans leur esprit.

Je les rassurais, mais à vrai dire j'étais bien incapable de savoir ce qui était intéressant ou non pour un lecteur. Je me souviens d'un journaliste qui avait écrit à propos du premier de mes romans à avoir touché un large public : « Ce livre marche car il contient tous les ingrédients du succès ! » Quelle étrange phrase. Si je connaissais les ingrédients du succès, j'aurais utilisé la formule bien plus tôt. Et je me serais ainsi épargné toutes ces années à faire des petits boulots en parallèle de l'écriture. Et s'il existait des ingrédients du succès, tout le monde pourrait en produire à loisir. C'était absurde. On ne sait jamais vraiment ce qui plaira. En lisant les lignes que je suis en train d'écrire, certains lecteurs seront peut-être captivés lorsque d'autres bâilleront d'ennui. Cela n'est pas ma priorité. Si j'éprouve un souci réel du lecteur, ce qui m'anime avant tout est d'être dans un rapport obsessionnel à mon sujet.

Mais j'étais prêt à faire des compromis pour rassurer mes personnages. Pour essayer de captiver le lecteur, je pouvais toujours m'appuyer sur quelques subterfuges. Je pouvais lui demander d'anticiper la suite du roman. Qu'il essaye de trouver, par exemple, pourquoi Yves Grimbert avait quitté Madeleine. Voilà qui rendrait l'entreprise à la fois amusante et bassement attractive.

POSSIBLES RAISONS DU DÉPART D'YVES GRIMBERT

1. Il avait une fausse identité. Et les services secrets allaient le démasquer.
2. Une maladie incurable. Il a préféré fuir plutôt que d'agoniser devant la femme de sa vie.
3. Il aimait une autre femme.
4. Il aimait un autre homme.
5. Il s'est retrouvé complice d'une sale affaire, et risquait la prison.

6. Il avait une double vie aux États-Unis.
7. Nihiliste, il savait que toutes les histoires ont une fin, et il a préféré, comme l'a écrit Gainsbourg, *fuir le bonheur de peur qu'il ne se sauve*.
8. Il ne supportait plus la France.
9. Il a découvert que Madeleine était en fait sa sœur.
10. Il a gagné au Loto, mais ne voulait pas partager.

J'avais, en ce qui me concerne, une vague intuition ; mais je préférais ne pas la partager, de peur d'influencer quiconque.

44

Je mis fin à cette parenthèse intérieure pour reprendre de plain-pied ma relation avec le concret. Je demandai à Madeleine de combien d'argent elle disposait pour son périple. Elle évoqua le fait que cela serait peut-être son dernier grand voyage. Alors elle voulait se faire plaisir ; nous faire plaisir d'ailleurs, car elle insista pour m'offrir mon billet d'avion. Après tout, je l'accompagnais, dit-elle, et elle voulait m'en remercier. J'ai eu beau rétorquer que j'y trouvais mon compte, en espérant récolter ainsi un condensé d'émotion, rien n'y fit : j'étais son invité dans les airs. Il fut convenu que je m'occuperais de l'hôtel et de la location de la voiture.

Oui, je sais, ces éléments peuvent paraître superflus, mais à partir du moment où je m'empare de la réalité, je ne peux pas faire abstraction des aspects techniques. Quand je vois certains films, je me demande comment font les personnages pour vivre dans des appartements bien au-dessus de leurs moyens ; je n'arrive pas à croire à une histoire si elle est totalement déconnectée de la vérité matérielle. Il me semblait nécessaire, par souci de crédibilité, de préciser que nous avions eu cette conversation.

Sous le regard de Madeleine, j'ai réservé les billets avec mon téléphone. Et j'ai également envoyé les demandes de visas. « Nous partons dans trois jours », ai-je annoncé. Je la sentis émerveillée ; depuis des années, sa vie entière était planifiée, et le moindre de ses déplacements organisé des mois à l'avance. C'est *la mort de l'imprévu* qui marque le véritable tournant d'une vie, l'entrée dans la vieillesse.

45

L'imminence de notre départ me fit penser à Marie. Le trajet est ma partie préférée du voyage ; on peut visiter les plus beaux monuments du monde, vivre des moments rares et intenses, rien ne vaut d'être assis à deux dans un train ou un avion. Je me souviens d'un vol vers l'Asie pendant lequel nous avions parlé sans nous arrêter pendant des heures. Nous nous étions pris la main en traversant une zone de turbulences, et jamais je ne m'étais senti aussi heureux.

Cette pensée me plongea dans un état mélancolique. On devrait pouvoir empêcher les souvenirs de s'imposer ainsi à notre esprit ; les bloquer à l'entrée du maintenant. Encore une chose qu'on ne maîtrise pas. Il faut dire aussi que certains éléments du présent contiennent d'insoutenables échos au passé. Je ne pourrai plus jamais prendre l'avion sans penser à Marie[1]. Mais ce n'était pas le seul fait qui me renvoyait à l'histoire de Madeleine et Yves. J'avais moi aussi été délaissé sans bien en comprendre toutes les raisons. Il y avait pourtant eu quelques discussions mortuaires de l'amour (« Je préfère la solitude à toi »), mais cela n'avait pas été suffisant. Celui qui part devrait toujours laisser des centaines de pages d'explications. Écrire une thèse pour tenter de préciser un acte que l'autre ne comprendra jamais. Je me sentais proche de Madeleine, et de son désarroi. On pioche si souvent dans la vie des autres les éléments de compréhension de notre propre vie.

1. C'était aussi valable avec Souchon ou les sushis.

46

Je n'aurais peut-être pas dû dire oui à tout. Voir Jérémie puis dîner avec Valérie me paraissait un programme chargé. Certes, il était compliqué de solliciter les membres d'une famille, et de ne pas être ensuite un minimum à leur disposition. Je devais me soumettre à eux, vivre sous la dictature de leur réalité. Mais j'avais très peur de ma capacité de concentration ; je savais qu'au bout d'un moment mon cerveau ressemblait à l'Union soviétique en 1989. Allais-je être capable de prendre le meilleur de ce qu'on me donnait ? Au vu de ce qui allait se passer avec Jérémie, mon inquiétude était légitime.

Les choses avaient pourtant bien commencé. Il m'a accueilli avec un grand sourire et un air presque soulagé. Je me suis dit qu'il prenait à son tour le train de mon roman, sûrement motivé par ses parents. Plutôt bien élevé, il commença par demander :

« Alors votre projet, ça avance bien ?

— Oui, ça va… merci. Je vais partir aux États-Unis avec ta grand-mère.

— Ah bon ? Mais pourquoi ?

— Elle aimerait revoir quelqu'un qui vit là-bas.

— Qui ça ?

— Un homme qu'elle a aimé. Avant ton grand-père.

— Ah bon ? C'est trop drôle ça.

— Drôle, je ne sais pas. Mais je pense que ça sera émouvant pour elle.

— Et vous allez raconter tout ça dans votre livre ?

— J'attends de voir comment ça va se passer, mais sans doute.

— J'avoue, c'est pas mal.

— Bon... Tu voulais me voir ? Ça m'a fait plaisir quand ta mère m'a dit ça. Je te l'ai dit, c'est important pour moi que tu sois dans le roman.

— Ah oui... Mais...

— Quoi ?

— Ce n'était pas que pour le roman. Enfin, un peu quand même... Car on se voit, on discute. Mais je voulais vous voir pour autre chose aussi.

— Dis-moi.

— C'est juste que j'ai un devoir de français à rendre pour demain, et franchement je ne comprends rien, alors je me suis dit que vous pourriez m'aider un peu.

— ... »

Je suis resté sans voix. Il a dû comprendre que j'avais espéré autre chose en venant le retrouver. Il y avait tout de même de quoi être déçu. Il n'avait pas convoqué un écrivain mais un soutien scolaire. Mais finalement, c'était peut-être un moyen de nouer un lien avec lui. Les confidences viendraient ainsi, en guet-apens d'un commentaire littéraire.

Quand il me montra le texte à étudier, je compris immédiatement que la chose ne serait pas aisée. Il portait sur *La Ballade des pendus* de François Villon. Au risque de décevoir, je dois avouer que je n'ai jamais été friand de poésie médiévale. Dans ma jeunesse, j'ai eu des professeurs formidables, et certains ont conditionné mon amour des mots, mais je doute qu'on puisse susciter l'enthousiasme d'un adolescent avec de l'ancien français. Je voulais éviter de partager ce point de vue avec Jérémie, pour ne pas le décourager. Au contraire, j'ai préféré surjouer mon excitation, soulignant à quel point j'adorais ce poème. Il ne parut pas très convaincu ; à juste titre ; je m'étais exprimé avec l'intonation d'un acteur sur le point de perdre son statut d'intermittent du spectacle.

Tels sont donc les premiers vers :

Frères humains, qui après nous vivez,
N'ayez les cœurs contre nous endurcis,
Car, si pitié de nous pauvres avez,
Dieu en aura plus tôt de vous mercis.
Vous nous voyez ci attachés, cinq, six :
Quant à la chair, que trop avons nourrie,
Elle est piéça dévorée et pourrie,
Et nous, les os, devenons cendre et poudre.
De notre mal personne ne s'en rie ;
Mais priez Dieu que tous nous veuille absoudre !

Avant toute chose, j'ai jeté un œil au manuel de français pour me rafraîchir la mémoire. Je pus lire que François Villon avait écrit ce poème en prison, en pensant qu'il serait peut-être condamné à mort.

Je pouvais toujours commencer par dramatiser l'enjeu du texte.

« Tu dois analyser ce poème… comme s'il l'avait écrit en pensant que ce serait le dernier. Regarde le champ lexical.

— Le quoi ?

— Le champ lexical. C'est le fait de regrouper des mots dans une même famille… Tu ne remarques pas qu'il y a beaucoup de termes violents ?

— Ah oui, c'est vrai. Comme « dévorée » et « pourrie ».

— Ça te donne une piste… pour analyser. Ça te fait penser à quoi ?

— Pourri ? À un fruit pourri.

— Oui, pourquoi pas. Mais quoi d'autre ?

— Un corps qui se décompose.

— Oui, voilà. Très bien.

— C'est glauque. Je comprends pas pourquoi Martinez il nous fait lire ça.

— C'est un classique de la littérature… »

*

ANECDOTES PALPITANTES SUR KARL LAGERFELD (2)

Sa mère était une femme austère. Madeleine me raconta qu'elle l'avait vue un jour chez Chanel ; elle était déjà très vieille. Et Karl avait dit tout bas : « Ma mère a toujours eu cet âge-là… » Au-delà de ce trait d'humour un peu acide, on sentait qu'il l'aimait et l'admirait, malgré cette forme de distance qu'elle imposait. Sa rigidité faisait qu'on l'imaginait cartésienne, mais elle avait une sorte d'addiction secrète : la consultation de voyantes. Pendant l'été 1939, elle en avait convié une dans leur propriété. Elle avait fait signe au petit Karl de ne pas faire de bruit, mais ça, il en avait l'habitude. Le silence était la mélodie préférée de sa maman. Quel âge avait-il ? On ne savait pas vraiment. Il n'a jamais révélé sa vraie date de naissance. Peut-être 4 ou 5 ans. Il se mit alors dans un coin du salon, et observa la scène, émerveillé. Il trouvait que sa mère avait l'air d'une petite fille quand cette vendeuse d'avenir venait à la maison avec ses cartes. Au bout d'un moment, les deux femmes tournèrent la tête vers lui. Avait-il commis un soupir trop bruyant ? Non. Même ses respirations repartaient à l'intérieur de ses poumons. Elles étaient simplement en train de parler de lui. Plus tard, Karl allait comprendre la teneur de la conversation. Sa mère avait interrogé la voyante : « Et le petit, qu'est-ce qu'il va devenir ? » La cartomancienne avait fermé les yeux, comme si on voyait mieux les contours du futur dans l'obscurité, avant d'annoncer d'une voix assurée : « Prêtre ! » La mère de Lagerfeld avait manqué défaillir. Même si elle était croyante, il lui semblait inconcevable que son fils consacre ainsi sa vie à Dieu. Elle n'aimait pas du tout cette prédiction. Et pouvait donc la changer : il arrive qu'on consulte des voyants non pas pour connaître l'avenir mais pour le modifier justement. À partir de ce moment-là, le jeune Karl ne mit plus un pied à l'église. Sa mère l'exclut même de tout mariage ou enterrement familial. Étrangement, et malgré une carrière à l'opposé de celle de prêtre, il mena une vie relativement monacale et opta très souvent pour un style vestimentaire assez proche de celui d'un homme d'Église.

*

Je n'ai pas pu faire autrement que d'utiliser à nouveau Lagerfeld. Il m'est impossible de plomber mon roman par un commentaire de texte sur François Villon. À ce stade du récit, cela aurait été un risque trop important. Surtout que mes tentatives d'analyses approximatives ont duré une bonne heure. Jérémie paraissait dubitatif. Et je mesurais bien sa stupéfaction. Il ne comprenait pas pourquoi un écrivain ne maîtrisait pas parfaitement l'histoire de la littérature, ou n'avait pas une connaissance absolue des intentions de chacun de ses collègues. À ses yeux, j'étais un footballeur professionnel qui, une fois sur un terrain, se révélait incapable de taper dans le ballon. J'ai pourtant essayé de lui expliquer qu'on pouvait écrire sans être forcément un théoricien de l'écriture. On pouvait même être l'auteur d'un chef-d'œuvre sans avoir la moindre culture littéraire. Mais voilà, Jérémie devait avoir l'image conventionnelle de l'écrivain qui vit dans une mansarde, et qui croule sous les encyclopédies. Peut-être aurais-je dû être franc ? Et avouer que je tâtonne un peu en ancien français. Je ne savais vraiment pas quelle attitude adopter avec lui.

Enfin Valérie rentra du collège, et abrégea la séance de torture. Je quittai Jérémie d'autant plus dépité que je n'avais pas récolté la moindre information me permettant de préciser son portrait. Mais je devais prendre mon temps et ne pas me décourager. Mon projet nécessitait une patience que je n'avais pas forcément. À vrai dire, nous sommes collectivement moins patients. En nous permettant d'obtenir tout très vite, ou d'être reliés les uns aux autres en permanence, notre époque achève l'impatience. Comme on fait du yoga pour se détendre, il faudrait peut-être s'exercer à l'attente. Par souci de l'autre, nous devrions systématiquement arriver en retard à nos rendez-vous.

Justement, Valérie me demanda de l'attendre pendant qu'elle se préparait. Assis seul dans le salon, j'avais l'impression de faire marche arrière dans le temps. C'était la même scène qu'à mon arrivée. C'est alors que Lola traversa la pièce, me gratifiant d'un mouvement de tête. On régressait : je n'avais même plus droit au son de sa voix. Mais je pouvais déjà noter un détail intéressant la concernant : elle n'avait aucune aptitude à annoncer ses apparitions. En d'autres termes, elle est le genre de personnage qui débarque *subitement* dans une pièce. Cela me fit penser à Stavroguine, le héros des *Démons* de Dostoïevski. À un moment, il est dit de lui qu'il entre dans un salon en ayant déjà commencé à parler depuis le couloir. Tout comme avec Lola, il y avait là une forme d'humiliation des transitions.

Je m'étais à peine formulé ce constat qu'il se confirma : Lola a surgi face à moi. Comme tombée du plafond. Elle m'a fixé un instant, droit dans les yeux, incroyablement droit dans les yeux, avant de me dire tout bas : « Puisque tout le monde vous parle ici, j'ai décidé finalement d'en profiter aussi. Alors voilà la situation : je suis amoureuse d'un garçon. Il s'appelle Clément et il a un an de plus que moi. Depuis un mois, on sort ensemble. Et ça se passe très bien. Mais ça devient de plus en plus chaud entre nous. Il veut qu'on fasse l'amour. Et moi j'hésite. J'hésite parce qu'il a déjà couché avec quatre ou cinq filles du lycée. Tout le monde le sait. Et puis après ça s'est fini. En gros, il y a une part de moi qui a peur qu'il me quitte après. Et une autre part qui pense que, coûte que coûte, c'est avec lui que je veux faire l'amour pour la première fois. Vous en pensez quoi ? »

Je n'eus pas le temps de réagir. Valérie entra dans le salon en annonçant d'une manière presque guillerette : « Je suis prête ! » Puis, elle ajouta en nous dévisageant :

« Qu'est-ce que vous êtes en train de vous dire tous les deux ?

— On a nos petits secrets aussi, dit Lola.

— Je croyais que tu ne voulais pas être dans le livre, toi.

— J'ai changé d'avis. Bon, je vous laisse. »

Lola quitta la pièce sans même me regarder, me laissant avec son problème. Dans un premier temps, j'ai pensé qu'elle se moquait de moi. Mais elle est revenue me donner un morceau de papier avec le numéro de ce Clément, en me parlant tout bas pour que sa mère ne puisse pas entendre. Elle voulait que je l'appelle pour qu'il me dévoile ses intentions. Là non plus, je ne savais pas si elle était sérieuse. Tout ça me paraissait tout de même très tordu.

Au milieu du salon, Valérie se tenait debout face à moi. Clairement, elle attendait un commentaire sur son apparence. Maquillée, habillée d'une robe moulante, juchée sur des talons hauts, son allure était la bande-annonce de ce qu'elle pensait. À l'évidence, on se rapprochait davantage du rendez-vous galant que de l'entrevue professionnelle. Même si je ne pouvais nier qu'elle était resplendissante, j'étais forcément gêné. Tout cela me paraissait hors de propos. J'étais là pour écrire un livre, certainement pas à la recherche d'une quelconque connivence sentimentale.

Elle exprima à nouveau sa satisfaction de voir enfin Lola jouer le jeu, et voulut savoir ce qu'il y avait d'écrit sur le morceau de papier.

« Secret professionnel, ai-je répondu avec mon humour peu efficace.

— Si elle vous parle à vous, tant mieux. Vous avez de la chance. Moi, elle ne me dit plus rien, c'est terrible. Au début, les enfants vous racontent pendant des heures l'historique de leurs moindres bobos, et puis avec les années, ils se mettent à enfouir les chagrins les plus douloureux.

— Ce n'est pas faux.

— C'est idiot, car je crois m'y connaître davantage en douleur qu'en égratignures », dit-elle avec une tristesse subite.

Mais cette tristesse fut chassée aussitôt par une nouvelle apparition (on frôlait la pièce de boulevard). Patrick rentrait du bureau. Il parut stupéfait de découvrir sa femme ainsi apprêtée, avant de finalement déclarer : « La littérature a bon dos. » Phrase qui était accompagnée d'un sourire, mais certains sourires sont des meurtres. Je fus désolé de sa froideur, alors que notre déjeuner avait été si amical. Quand j'étais avec l'un de mes personnages, j'avais le sentiment de perdre un peu de ma connivence avec les autres ; une sorte de balançoire relationnelle. Mais je pouvais le comprendre. Sa femme sortait dîner avec un autre homme, et elle ne cachait pas son désir d'être séduisante. Je me retrouvais malgré moi en plein cœur de leur histoire de couple. Bien sûr, je voulais des péripéties pour mon livre, mais je n'avais aucune envie d'être à l'origine d'un vaudeville. Ces simples mots de Patrick me firent hésiter à annuler le dîner ; mais dans ce cas, je risquais de tout perdre, d'anéantir les efforts fournis jusqu'ici.

Je lui ai glissé un mot amical, mais il a foncé dans sa chambre sans répondre. Je savais bien que je n'avais rien à me reprocher, et je mettais aussi son attitude sur le dos d'un contexte professionnel particulièrement stressant. On sentait qu'il était à cran. Valérie, quant à elle, parut surtout surprise : « Ça me fait bizarre de le voir réagir comme ça. D'habitude, il se fout de tout. J'ai l'impression que je pourrais dîner avec Brad Pitt que ça ne lui ferait ni chaud ni froid. Faut croire que non… » J'avais envie de lui dire ce que je savais : son mari n'avait peut-être pas été capable de l'exprimer ces derniers temps, mais il l'aimait. Elle ne voyait pas cela du tout. Passé la stupéfaction de sa première impression, elle ne percevait dans le comportement de son mari qu'aigreur mal placée. Elle n'avait pas du tout aimé son attitude. Elle trouvait insupportable de râler contre une situation alors qu'on ne fait rien pour la modifier. Je l'entendis même souffler : « C'est pathétique. » Les relations entre eux étaient plus que jamais explosives.

47

Nous nous sommes installés dans un bistrot charmant. Valérie m'a expliqué son choix : « Je passe souvent devant. J'ai toujours rêvé d'y entrer, mais j'attendais une bonne occasion. » Elle a voulu qu'on commande à boire immédiatement : « Et si on prenait une petite coupe pour l'apéritif ? » Je ne savais que faire pour brider son enthousiasme. Bien sûr, j'étais ravi qu'elle s'investisse autant ; le contexte allait me permettre d'approfondir la connaissance de mon personnage (j'attendais, entre autres, de comprendre les raisons des tensions flagrantes avec sa sœur). Mais je voulais à tout prix éviter les zones ambiguës. Si j'appréciais cette femme, je la voyais avant tout avec l'œil de l'entomologiste disséquant un scarabée. Il y avait à l'évidence un décalage entre nous. L'entrée en matière de Valérie acheva de le prouver :

« Ce n'est pas tous les jours que je dîne avec un écrivain. C'est assez excitant, tout de même.

— Je ne sais pas pourquoi vous dites ça, les écrivains sont sinistres.

— Pas vous. Je vous trouve plutôt pétillant dans vos interviews. J'ai regardé tout ce qu'on trouvait sur vous sur Internet. Les gens vous adorent.

— Pas tout le monde.

— Vous faites référence au *Masque et la Plume* ? J'ai écouté l'émission. C'est vrai qu'ils sont durs. Mais ils sont comme ça avec tout le monde. À chaque fois que je les écoute, c'est un massacre. Je trouve qu'ils vont trop loin. On peut critiquer une œuvre sans déverser autant de haine. Franchement, j'ai du mépris pour eux.

— Ah, ne dites surtout pas ça ! Je risque de mettre vos répliques dans mon roman, et je ne veux pas qu'ils le prennent mal. Ils me terrorisent, vous savez. Dites du bien d'eux s'il vous plaît !

— Ah bon ?

— Oui, vraiment.

— Eh bien... je trouve qu'il y a beaucoup de courage... à exprimer son opinion librement... c'est bien ?

— Oui, très bien, continuez.

— C'est vrai, on est dans une époque un peu tiède. Ça fait tellement de bien. Et ils ont souvent raison. Leur avis m'est très précieux. C'est une chance d'avoir de tels guides culturels.

— Ah oui, parfait. Et vous ne voulez pas dire aussi qu'ils sont beaux ?

— Maintenant que vous le dites, c'est vrai... ils ont des voix magnifiques. C'est du miel dans les oreilles.

— ... »

J'ai adressé un sourire soulagé à Valérie, comme si je venais d'être acquitté.

48

Le serveur est arrivé à ce moment-là d'un pas nonchalant, mais il s'est pourtant adressé à nous en parlant très vite[1]. Du coup, je n'ai pas saisi quel était le plat qu'il conseillait plus particulièrement mais je l'ai choisi. Valérie a mis du temps à parcourir toute la carte, hésitant, errant, agaçant le serveur. Néanmoins, il demeura souriant. Encore une dichotomie chez lui : il avait l'énervement

1. Je n'avais jamais vu une telle inadéquation rythmique entre la marche et la parole.

chaleureux. Finalement, elle opta pour le même plat que moi, en soulignant ce choix d'un : « Je fais tout comme vous ! » Elle ne ratait aucune occasion d'être dans la séduction. Et plus je continuais à brosser de moi-même un portrait pathétique, plus elle semblait admirative de mon autodérision. Il est très difficile de faire changer d'opinion une personne qui a déjà un avis sur vous, qu'il soit positif ou négatif. Je pouvais devenir décevant ou imbuvable, mais dans ce cas-là, je prenais le risque de la perdre. Sauf si l'on a un léger penchant masochiste, il est rare que l'on aime se confier à un psychopathe. Alors, que devais-je faire ? Ma position me paraissait intenable.

Valérie continua sur sa lancée inquisitrice. J'avais beau lui dire que je ne voulais pas qu'on parle de moi, elle ne cessait de m'interroger. À croire qu'elle voulait écrire un roman sur ma vie. Tout en sirotant du champagne, puis du vin, elle me posa des questions de plus en plus intimes. Cela n'allait vraiment pas. Je n'arrivais pas à arrêter l'hémorragie de la séduction. J'avais l'impression d'être Marty McFly, le héros de *Retour vers le futur,* quand il rencontre sa mère pendant son voyage dans le passé. Celle-ci tombe sous son charme, au risque de modifier d'une manière tragique le réel. Sa présence peut tout simplement annuler sa propre conception. Il en allait de même pour moi : j'étais en train de modifier les trajectoires des vies que je voulais décrire.

J'avais autorisé une seule question par jour me concernant, mais cela débordait complètement. Elle voulait me faire parler de Marie. Notre rencontre, notre histoire, notre séparation. C'était si complexe : comment résumer la vie et la mort d'un amour ? Je peux l'avouer maintenant, et Valérie l'apprendra en lisant ces lignes, mais j'ai préféré mentir :

« Après notre dernière discussion, le soir même, j'ai écrit à Marie. Je lui ai demandé si elle préférait toujours la solitude à moi. Elle m'a répondu aussitôt, et nous avons échangé quelques messages. Je crois qu'on était heureux tous les deux de se parler à nouveau. J'ai compris beaucoup de choses ces derniers temps. Je ne l'ai pas assez soutenue quand elle avait besoin de moi. Et cela l'a poussée à vouloir prendre du recul. Mais, en lisant ses messages, j'ai eu le sentiment que je lui manquais un peu. Alors, on a décidé de se revoir. C'est un peu grâce à vous, tout ça. Votre réaction m'a poussé à lui écrire.

— C'est merveilleux, s'écria Valérie avec un enthousiasme qui me surprit.

— Oui, c'est merveilleux », répondis-je en pensant : si seulement cela avait été vrai.

Je ne pus faire autrement que de penser à Marie à nouveau. Je ne lui avais pas envoyé de message. Elle avait quitté ma vie d'une manière douce et lente, sans la moindre effusion, un véritable effacement. Je savais bien que tout était ma faute ; j'avais manqué de présence. Plusieurs fois, elle avait essayé de me parler, et je n'avais rien entendu. Pourquoi m'étais-je autant replié sur moi-même ? Je le regrettais amèrement, mais il était trop tard. J'ai si souvent été en retard sur ma vie. Je suis du genre à avoir les bonnes répliques en bouche quand mon interlocuteur est déjà loin. J'aurais pu tenter de tout expliquer à Marie maintenant. Lui dire que j'avais traversé une étrange période où plus rien n'avait de goût. Une sorte de dépression, sûrement, où je n'avais plus la lucidité de notre bonheur. Il y a des moments où l'on piétine si facilement le merveilleux. Je viens de dire que je n'avais de goût à rien, mais c'est faux. J'avais le goût du saccage. En y réfléchissant bien, il me semble que j'avais le sentiment de ne pas mériter Marie. De ne pas mériter notre histoire. Je sais où chercher les sources d'un tel effroi relationnel. Au fond, je sais tout ça. Mais je ne voulais pas me l'avouer. J'étais fatigué de me parler. Alors je me suis laissé aller dans cette dérive du repli sur soi.

« Vous ne m'écoutez pas ? demanda Valérie.

— Si, bien sûr.

— Et je parlais de quoi ?

— De... Oui, c'est vrai, j'ai eu un moment d'absence.

— Ce n'est pas grave. Mais moi, quand je pense à autre chose, ça ne se voit jamais ! Je me dis que l'autre va bien voir dans mon regard que je ne l'écoute plus. Mais non, je reviens à la discussion, et il n'a rien remarqué. Alors que vous, ça se voyait clairement que vous n'étiez plus là.

— Il faudra que vous me donniez votre secret. Moi, je n'arrive à rien cacher.

— J'espère juste que je ne vous ennuie pas…

— Mais non, pas du tout. Vous m'avez fait parler de moi, et du coup, cela m'a fait réfléchir. Pardonnez-moi. Vous disiez ?

— Rien de spécial. Juste que j'étais heureuse pour vous. Et j'étais en train de vous raconter l'histoire d'un couple d'amis qui se sont remis ensemble après une séparation.

— Ah oui, ça arrive de plus en plus en ce moment, j'ai l'impression.

— Je ne sais pas. Mais en tout cas, je crois qu'ils se sont rendu compte qu'ils étaient encore plus malheureux l'un sans l'autre qu'ensemble.

— C'est une raison de se retrouver, effectivement », dis-je sans le penser.

Après cette parenthèse, Valérie revint sur mon histoire. Lors de notre première discussion, elle avait trouvé que j'avais tenté de minimiser la douleur de ma séparation. Alors elle était vraiment heureuse d'apprendre que les choses allaient peut-être s'arranger. Au vu de sa réaction, je me suis senti ridicule. Je m'étais totalement trompé sur ses intentions[1]. Son enthousiasme ne paraissait absolument pas feint. Davantage encore, elle me parlait avec une bienveillance amicale. Je manquais décidément de lucidité. Même si son couple la décevait,

1. C'est peut-être dans mes rapports avec les femmes que je suis complètement romancier.

elle ne s'imaginait pas avec un autre homme. Elle allait évoquer cela dans quelques minutes.

J'avais été stupide de m'enfermer dans des principes. Qu'est-ce qui m'empêchait d'écrire sur Valérie tout en échangeant sur nos vies ? Je commençais à prendre du plaisir à nos discussions, et à ses réflexions. En me poussant à parler de Marie, elle m'avait contraint à mettre des mots sur ce que j'avais vécu. Ce que je n'avais jamais fait, ou pas suffisamment. Dès que certains de mes amis voulaient m'en parler, j'évacuais le sujet. Par ailleurs, je n'en revenais pas de constater la légère tournure autobiographique que prenait ce roman. C'est toujours ainsi : c'est en s'éloignant des choses qu'on les atteint le mieux. En me précipitant vers les autres, je n'étais pas à l'abri de me rencontrer. Mais en avais-je l'envie ?

49

Valérie éprouvait plus ou moins le même sentiment. Elle finit par parler d'elle, en me disant que notre rencontre avait agi comme un détonateur :

« Depuis que vous me faites parler, je me rends compte de beaucoup de choses. On devrait tous avoir sous le coude un écrivain en manque d'inspiration.

— C'est gentil.

— Je dis ça pour vous faire sourire, mais vous

savez à quel point c'est vrai. Depuis deux jours, je vois tout différemment.

— Par exemple ?

— J'ai le sentiment que je ne peux plus attendre. Je suis en train de m'éteindre. Je n'ai pas eu besoin de vous parler longtemps pour me rendre compte que rien n'allait. J'ai 45 ans, et je sens en moi une forme d'urgence. Ça ne peut plus durer comme ça.

— C'est normal de traverser des périodes de doute.

— Ce n'est pas un doute, c'est une évidence.

— Alors vous voulez vraiment quitter votre mari ?

— Oui.

— Je ne suis pas là pour vous juger, mais j'ai l'impression que vous vous précipitez. Que les choses sont moins limpides que vous ne voulez le croire.

— Peut-être, mais j'ai besoin de prendre une décision. D'avancer. De changer d'air.

— Vous pouvez faire les choses progressivement.

— Ça veut dire quoi ? Prendre un amant ? Je n'en ai aucune envie.

— Non, je pensais à prendre du temps pour vous…

— Partir une semaine en vacances toute seule, c'est ça ? Vous pensez sérieusement que c'est ce dont j'ai besoin ? Je n'ai pas envie d'être dans la demi-mesure. Je dois prendre une décision et être claire.

— …

— Ne faites pas cette tête. Je suis prête à affronter toutes les conséquences à venir. Et même à me tromper. Mais ma vie ne peut plus continuer comme ça. »

Le silence s'est installé, surtout parce que je ne savais que dire. Elle semblait déterminée à quitter son mari, mais il n'y avait aucun accent tragique dans son intonation. Je continuais de croire qu'elle ne mesurait pas la portée de ses mots. Parfois, dans la folie fugitive d'une motivation, on annonce une grande décision. Mais, une fois qu'elle est prise, on est confronté à sa radicalité pragmatique. Elle ne semblait pas évaluer la souffrance qu'impliquait son choix. Elle n'évoquait pas la probable dévastation de Patrick ou le désarroi de ses enfants ; vient un moment où seule sa propre survie est en jeu, et je peux tout à fait le comprendre. Elle avait parlé d'un sentiment d'urgence, puis avait fini par dire, en souriant presque : « La vie est courte. » Cette phrase qu'on prononce dès que le manque d'épanouissement devient insoutenable.

50

Non seulement je trouvais Valérie peu lucide sur le drame sentimental qu'elle annonçait, mais elle me semblait de plus en plus enjouée. Certes, nous étions en train de finir notre seconde bouteille de rouge. Je devais ralentir, au risque de n'être plus capable de retranscrire ce que nous nous disions. Mais je me laissais complètement embarquer par cette soirée plaisante. Il m'arrivait d'oublier que j'étais en train de travailler. De toute façon, c'est la définition même de l'écrivain : on ne sait jamais vraiment quand il travaille. C'est le seul métier où l'on peut brasser de l'air pendant des heures en prétextant être au cœur d'une entreprise colossale (chacun ses alibis).

Entre l'alcool et les errances du cœur, j'avais oublié de lui annoncer le voyage imminent que j'allais faire avec sa mère. Elle partit dans un énorme fou rire en l'apprenant. L'idée de m'imaginer à l'autre bout du monde avec Madeleine lui semblait franchement risible. « Ça devient un peu n'importe quoi votre histoire ! » me dit-elle en nous resservant à boire. Étant une véritable girouette, j'avais maintenant envie d'épouser son point de vue. J'avais estimé cette aventure romanesque et passionnante, mais peut-être avait-elle raison ? Qu'allais-je faire à Los Angeles avec une personne âgée que je connaissais à peine ? Mais mieux valait mettre de côté mes interrogations pour le moment. La cyclothymie coulait à nouveau dans mes veines. En tout cas, là encore, j'avais craint à tort la réaction de Valérie. J'avais même pensé qu'elle nous empêcherait de partir. Cela m'avait décidé à prendre les billets sans la prévenir, pour la mettre devant le fait accompli. Bien au contraire, elle finit par dire à quel point c'était une magnifique folie à vivre pour sa mère. Elle ajouta, plus doucement : « Tout ça, c'est du baume au cœur pour elle. »

J'ai trouvé cette formulation aussi belle que porteuse de sens. J'y ai vu, sans doute à tort, une allusion au conflit qui affectait forcément Madeleine, celui entre ses deux filles. Notre voyage lui ferait donc du bien, lui *changerait les idées*, selon cette étrange expression. Si seulement on pouvait se changer les idées comme on change l'eau d'un vase. Je tentai à nouveau ma chance pour en savoir plus :

« Ah, ma sœur… Vous voulez vraiment gâcher notre soirée ?

— Pas du tout.

— Elle me manque tout de même », fit-elle subitement avec une pointe de tristesse, mais de cette tristesse liée à l'alcool ; l'ivresse est souvent un chemin à deux routes : celle de l'agressivité ou du pacifisme ; celle de la rancœur ou du pardon ; il semblait que Valérie avait l'alcool pacifiste.

« Vous pourriez l'appeler pour le lui dire, non ?

— C'est impossible. On ne se parle plus depuis si longtemps. Je ne sais même plus à quand remonte la dernière fois !

— C'est pour ça qu'elle est partie à Boston ?

— Oui, sûrement. La rupture a été trop brutale.

— … »

*

Valérie est née un peu plus d'un an après Stéphanie. Mais, assez rapidement, il fut quasiment impossible de savoir qui était l'aînée des deux. Elles partageaient tout, les mêmes goûts et les mêmes amis, si bien qu'on les qualifiait souvent d'inséparables. Elles étaient allées voir Michael Jackson en juin 1988 au Parc des Princes et The Cure à la fête de la Musique, place de la République, en 1990. Les souvenirs de l'une déteignaient sur ceux de l'autre ; il leur arrivait de ne plus savoir qui avait vécu quoi, tant leurs récits se mélangeaient. Tel fut le premier mouvement d'une relation idyllique.

Il était difficile de dire à quel moment les choses avaient évolué. Le poison de la comparaison s'était mis à gangrener progressivement leur relation. C'était peut-être à cause d'un garçon qui avait préféré l'une à l'autre. Le simple regard d'un Théo ou d'un Léo aurait détruit une relation sororale si fusionnelle ? Non, c'était absurde. Alors quoi ? Il y avait eu cette chute au ski. Mais cela paraissait fou d'imaginer que les tensions aient pu naître à ce moment-là. Pourtant, c'est une hypothèse que n'écartait plus Valérie. Il y avait eu, incontestablement, un avant et un après cette chute.

Les deux sœurs s'amusaient sur les pistes pendant les vacances de février. Elles dormaient peu, continuant à parler avec leurs amis après l'extinction des feux. La fatigue avait donc dû jouer un rôle. L'après-midi, on les autorisait à skier sans le groupe. Après tout, elles avaient 15 et 16 ans. Elles adoraient s'arrêter au sommet et s'allonger sur les transats du bar d'altitude. Elles étaient toutes deux très sportives, mais c'était si plaisant aussi de ne rien faire, de simplement se soumettre à un soleil qui paraissait si proche. Derrière leurs lunettes noires, elles observaient ensemble les garçons plus âgés, espérant ne pas être considérées comme des gamines. Ces moments-là ressemblaient trait pour trait au bonheur.

C'est lors de l'un de ces jours merveilleux, en redescendant vers la station, qu'elles chutèrent ensemble lourdement. En toute inconscience, elles avaient décidé de descendre la piste en portant chacune l'une des oreillettes des mêmes écouteurs. Valérie avait oublié les siens au chalet. Elles adoraient écouter de la musique en skiant, et elles voulaient descendre au son de *Where Is My Mind*? des Pixies. Bien sûr, c'était dangereux, mais leur niveau était excellent, et on atteignait la station par une piste bleue relativement facile. Ça les amusait d'avancer les skis collés, et les têtes penchées l'une vers l'autre pour partager la chanson. Mais un simple écart de l'une des deux avait suffi pour que les skis se croisent et entraînent les deux filles dans une chute brutale. Stéphanie se mit à hurler de douleur, alors que Valérie était indemne. Les secours arrivèrent assez vite, et la blessée fut descendue à la station en traîneau.

Elle fut conduite en ambulance vers le CHU de Chambéry. On diagnostiqua une double fracture du tibia. Pendant deux heures, Stéphanie, anxieuse, rumina seule dans un couloir de l'hôpital, sans nouvelles de sa sœur. C'était avant les téléphones portables. Valérie s'efforçait d'obtenir des infos à la station et quand, enfin, on lui apprit où était Stéphanie, elle trouva un bus qui lui permettait de la rejoindre. Une fois réunies, elles s'enlacèrent. « Plus de peur que de mal », pensa Valérie. Mais c'était bien la fin des vacances pour Stéphanie. Le lendemain, elle rentrerait à Paris, accompagnée par Madeleine, qui avait quitté son travail pour effectuer cet aller-retour en urgence.

Valérie resta toute seule pour la seconde semaine des vacances, et se fit de nouveaux amis. C'était triste, mais il n'y avait rien de grave. Les deux sœurs se parlaient au téléphone, et Stéphanie avait gentiment dit : « Profite bien pour moi. » Mais elle n'avait pas pu s'empêcher de se demander : « Pourquoi moi et pas elle ? » Il n'y avait alors rien d'agressif dans cette pensée. C'était la simple constatation qu'une même attitude avait créé deux conséquences radicalement différentes. Elle tournait en rond à ne rien faire, pendant que Valérie continuait à dévaler les pistes. Le destin avait donc choisi de favoriser sa sœur. « Pourquoi moi et pas elle ? » se répétait-elle de temps à autre, comme une mélodie qui reste en tête. Une de ces mélodies dont on n'arrive pas à se défaire, sans les aimer pour autant.

Il faut préciser autre chose. Profitant du fait qu'elle était seule, Valérie s'était clairement rapprochée de Malik, le jeune moniteur de ski pour qui les deux filles avaient éprouvé un coup de cœur. Le dernier jour, lors de la grande soirée d'adieux, Malik n'avait pu que constater à quel point Valérie le dévisageait avec admiration. Alcoolisé, il avait fini par l'embrasser dans un coin discret de la salle, avant de faire marche arrière. Un éclair de lucidité lui avait rappelé le très jeune âge de sa partenaire. Mais, si minuscule fût-il, ce baiser avait existé. Et Valérie l'avait raconté à sa sœur bien sûr, sans imaginer le coup de poignard au cœur que cette information constituerait. C'était une injustice ajoutée à l'injustice. Stéphanie se demanda même un instant si Valérie n'avait pas tout planifié. La chute pour l'écarter, et avoir la voie libre. Les antidouleurs lui faisaient peut-être perdre une partie de sa raison. Mais sans doute était-ce à ce moment-là qu'elle était entrée dans la sphère du ressentiment.

Si les deux sœurs paraissaient toujours aussi liées, Stéphanie avait développé une sorte de méfiance à l'égard de Valérie. Elle ne partageait plus avec elle tous les détails de sa vie intime, et organisait de temps à autre des sorties sans la prévenir. Valérie en était surprise mais, après tout, elles n'étaient pas obligées de tout faire ensemble. L'année suivante, quand il fut question de partir à nouveau à la montagne, Stéphanie préféra y aller avec une copine. C'était la première fois qu'elles ne skieraient pas ensemble. Valérie ne comprit pas cette décision. Surtout qu'elle aurait pu lui proposer de venir aussi. Mais c'était ainsi. Elle devait être encore traumatisée par l'accident de l'année précédente, et l'idée de skier toutes les deux la replongerait inexorablement dans le souvenir douloureux de la chute. Et donc de la douleur. Mais Stéphanie ne parlait pas de ça ; elle se disait simplement heureuse d'être invitée dans la famille d'une de ses amies. Elle rompait leur rituel avec le sourire.

Et cela continua. Stéphanie, de plus en plus fréquemment, planifiait des moments de vie sans prévenir sa sœur. Des cinémas, des sorties, des soirées. Valérie ne pouvait faire autrement que de penser : « Ce n'est plus comme avant. » Elle en éprouvait une réelle tristesse, mais n'osait pas en parler. Elle n'avait pas envie d'aller vers celle qui, semblait-il, la rejetait. Elle ne pouvait imaginer que Stéphanie continuait de vivre avec le slogan « Pourquoi moi et pas elle ? » en tête. Et les choses n'allaient pas s'arranger. Après l'épisode Malik, il y eut une autre histoire. Depuis quelques semaines, Valérie sortait avec Benoît, un garçon un peu plus âgé qu'elle et qui jouait dans un groupe de rock. Une sorte de cliché de séduction pour filles de 17 ans. Mais on souffre souvent à se mesurer aux clichés. Il la laissait parfois sans nouvelles, et cela désespérait Valérie. On était dans la mythologie du premier amour qui écorche. Elle essayait de trouver du réconfort auprès de sa sœur, mais celle-ci était incapable de prononcer le moindre mot. Son regard lui disait : « Tu as déjà un super mec, et moi je suis seule. Tu ne veux pas en plus que je te console quand il disparaît ? » Plus le moindre doute ; on pouvait clairement parler de jalousie. De cette jalousie qui assassine toute bienveillance. Cela s'était passé exactement comme au ski, pensait Stéphanie. Elles avaient rencontré Benoît toutes les deux lors d'un concert, mais il avait préféré Valérie. Quand elles étaient côte à côte, c'était toujours elle qui tombait.

Dans des relents paranoïaques, il arrivait à Stéphanie de penser : ma sœur est une ombre sur mon destin ; une voleuse de vie. Oui, elle m'empêche de vivre ce que j'ai à vivre.

On compare si souvent les enfants d'une même famille. Ce qui est absurde : une éducation commune n'implique certainement pas des capacités et des aspirations identiques. Bien sûr, le cadre des premières années détermine toute existence, mais la part d'autonomie est bien plus grande : on voit des vies chaotiques issues d'enfances douillettes, et combien de vies brillantes issues d'enfances meurtries ? Stéphanie le savait bien, elle n'aurait pas dû se laisser enfermer dans cette compétition stérile. D'autant qu'elle la perdait. Après l'épisode du ski, et celui de l'amoureux, on en venait à l'essentiel : les études. L'essentiel, car c'est bien là que notre société mesure malheureusement les capacités de chacun, du moins pendant la première partie de sa vie.

Après le baccalauréat, Stéphanie avait échoué au concours d'entrée de Sciences-Po. Ce qui en soi n'avait rien de dramatique, si ce n'est que l'année suivante, le dossier de Valérie avait été accepté. Tout le monde s'était réjoui à la maison, on avait bu une coupe de champagne en famille. Alors que rien n'était acquis : elle devait encore passer l'épreuve de l'oral. Pour Stéphanie, cette façon de fêter Valérie soulignait à nouveau son propre échec. Elle continuait de s'enfermer dans l'incessante comparaison. C'était d'autant plus absurde qu'elle avait de très bons résultats à la faculté d'histoire. Mais rien n'y faisait ; la blessure narcissique continuait de la gangrener. Une blessure qui n'avait cessé d'être alimentée depuis des années à coups d'invisibles égratignures. Il est difficile de mesurer la somme de rancœur qui habite un individu.

Il arrive pourtant un jour où cette rancœur devient démesurée. Valérie attendait par courrier la date de convocation pour son oral, mais rien ne venait. C'était un temps où Internet n'existait pas, où il n'était pas toujours facile d'obtenir des informations. Elle finit par se déplacer au secrétariat de Sciences-Po pour apprendre que les oraux avaient déjà eu lieu. Elle s'effondra dans le bureau, mais rien n'y fit, elle ne pourrait pas intégrer l'école cette année-là. Elle avait manqué la seconde partie de l'examen, et cela avait amputé toutes ses chances. « Je n'ai pas reçu la convocation ! » clama-t-elle devant la secrétaire, qui se laissa attendrir par le désespoir de la jeune fille. Elle expliqua que tous les courriers avaient été envoyés en recommandé avec accusé de réception. Elle vérifia dans un dossier que la lettre pour Valérie n'avait pas été retournée, ce qui prouvait que quelqu'un l'avait reçue à sa place. Immédiatement, elle pensa à sa sœur. Elle avait donc perçu, au plus profond d'elle-même, les vibrations insidieuses de la jalousie. Mais elle ne pouvait pas l'accuser frontalement. Stéphanie nierait, jouerait les offusquées, se ferait passer pour une victime à l'idée qu'on puisse la penser responsable d'un tel acte. Et de toute façon, rien ne pourrait prouver sa culpabilité.

La famille mena toutefois son enquête auprès du voisinage et de la gardienne; sans résultat. Aucune trace de ce courrier. Stéphanie finit par dire à sa sœur: « Je vois bien que tu penses que c'est moi. Tu ne peux pas imaginer comme ça me blesse... » Et Valérie se retrouvait dans l'obligation de la rassurer: « Mais non, je sais très bien que ce n'est pas toi... » Pourtant, le doute demeurait.

Elles se retrouvèrent toutes les deux à la Sorbonne. Car Valérie ne retenterait pas Sciences-Po, malgré les encouragements de ses parents. La blessure avait été trop forte, et elle ne se sentait pas le courage de reprendre son destin avec un train de retard. Et puis, finalement, elle était heureuse là où elle était. Elle venait d'avoir 18 ans, elle aimait cette nouvelle vie, pleine de temps libre. Les premiers mois furent assez agréables, précisa Valérie. Elle était redevenue proche de sa sœur, leur duo retrouvant presque l'énergie de leur adolescence. Stéphanie lui passait les cours de l'année précédente, et l'aidait. C'était pratique d'avoir une grande sœur qui avait déblayé le terrain avant son passage. Mais un jour, il manqua un polycopié dans une pochette donnée par Stéphanie, et la vie de Valérie bascula.

Cette feuille manquante, elle ne cesserait d'y penser. C'était comme le symbole d'une page blanche qu'on intègre à une histoire : un élément absent qui ne permet pas de comprendre la succession des faits dans leur intégralité. Elle partit à la recherche de cette page dans la chambre de sa sœur. Tout y était toujours si bien rangé ; Stéphanie était du genre méthodique ; avec une sorte de goût pour l'archivage. Était-ce pour cette raison qu'elle avait conservé la preuve de son délit ? C'était inexplicable. Ou alors, voulait-elle inconsciemment être démasquée ? C'était une façon comme une autre de confesser ce qu'elle avait sur le cœur. En découvrant l'accusé de réception de sa convocation à l'oral de Sciences-Po au fond d'un tiroir, Valérie eut un malaise. Seule, elle demeura un long moment inconsciente, allongée au sol. Quand elle recouvra ses esprits, elle se traîna jusqu'à la salle de bains, pour prendre une longue douche ; elle avait besoin de se laver de ce qu'elle venait d'apprendre.

Elle aurait voulu cacher sa découverte pour en éviter les conséquences, mais c'était impossible.

Son visage était défait. Sa mère le remarqua, et elle dut se confier à elle. Le soir même, il y eut une longue discussion entre les deux sœurs et leurs parents. Stéphanie, livide, tenta de justifier son geste. Elle parla d'une pulsion qu'elle n'avait pas réussi à contrôler. Valérie rétorqua que les mois de mensonge qui avaient suivi ne pouvaient pas être régis par une pulsion, mais par un remarquable sang-froid. Stéphanie supplia qu'elle lui pardonne, ce à quoi Valérie pourrait sans doute parvenir un jour, mais rien ne changerait la gravité de ce qui s'était passé ; quelque chose était définitivement cassé. En attendant, Valérie ne voulait plus parler à sa sœur, et cette dernière quitta la France quelques mois plus tard.

Elles ne s'étaient revues qu'une seule fois : à l'enterrement de leur père.

*

Valérie m'avoua qu'elle ne parlait pratiquement jamais de cette histoire. À l'époque, beaucoup de leurs amis communs avaient essayé de les réconcilier ; en vain. Tout le monde avait tenté de comprendre le geste de Stéphanie, lui cherchant même des excuses. Mais tout était fini. Valérie avait des nouvelles de sa sœur par sa mère, et elle les accueillait sans rien ressentir. C'était peut-être ça, la sensation la plus terrible : cette anesthésie. Elle n'éprouvait ni ressentiment ni rancœur ; pas plus qu'une quelconque nostalgie du temps de leur entente. Stéphanie avait parfois tenté des gestes d'apaisement ; elle avait envoyé des cadeaux aux naissances de Lola, puis de Jérémie, mais Valérie n'avait pas réagi ; elle ne pouvait pas dire merci à sa sœur.

Pour détendre l'atmosphère, j'ai proposé d'organiser un voyage avec elle à Boston. Après la mère, la fille ; je pourrais me spécialiser dans les voyages cicatrisants de la famille Martin. Valérie me répéta que cette histoire était derrière elle, que la blessure était complètement refermée, mais je ne pus m'empêcher de ressentir la persistance de la douleur. Valérie avait pardonné, mais ne voulait pas revoir sa sœur. Un jour, qui sait, les choses changeraient et elles se retrouveraient (même si c'était sous l'emprise de l'alcool, elle avait tout de même avoué que sa sœur lui manquait). C'était le souhait le plus cher de Madeleine. Et j'étais persuadé que Valérie offrirait ce cadeau à sa mère, avant qu'il ne soit trop tard.

51

Il était déjà presque minuit ; le temps passait plus vite en confidences. Si j'étais là pour mon livre, je passais une très bonne soirée en sa compagnie. J'aimais sa façon d'évoquer les épreuves sans se plaindre, de trouver la bonne distance pour être à la fois dans la vérité d'une émotion et la mise en scène d'un récit. Elle avait l'autofiction délicate. « Vu que je ne suis jamais allée chez le psy, c'est une sensation vraiment nouvelle de parler comme ça de moi », observa-t-elle, avant d'ajouter qu'elle commençait à y prendre goût. Elle avait très peur de devenir accro à mon écoute. Comment ferait-elle une fois que le livre serait écrit et que je la délaisserais pour d'autres personnages ? « On pourra tout à fait continuer à se voir, répondis-je. J'en serais même très heureux. Habituellement, quand je finis un roman, je quitte mes personnages. Mais là, ça sera différent… » Elle me fit un sourire. En prononçant ma dernière phrase, j'eus une pensée furtive pour tous mes anciens personnages. Une fois le livre terminé, nous nous étions séparés. Existe-t-il une vie après les pages ? Je me suis parfois demandé si Markus était toujours avec Nathalie, et s'ils étaient heureux loin de mon roman.

52

Il était temps de quitter le restaurant. Je n'avais pas remarqué que nous étions les derniers clients. Les figurants de cette soirée avaient quitté le décor en toute discrétion. Le serveur parut soulagé de notre départ, qui lui évitait cette action délicate de pousser quiconque vers la sortie. Il nous dit « Bonsoir » avec l'intonation exacte de celui qui aurait dit « Bonjour ».

Une fois dehors, l'air frais nous sembla une bénédiction. Une aération de neurones bienvenue. Je ne sais pas pourquoi je m'étais laissé aller à boire ainsi, malgré la fatigue et la nécessité de rester concentré. Sûrement pour être en phase avec Valérie. On ne passe de bonnes soirées que dans l'équilibre des liquides. Deux personnes sobres ont beaucoup à partager ; deux personnes alcoolisées encore plus ; mais un sobre et un alcoolisé ont-ils vraiment la possibilité d'échanger ? Je justifiais, par cette théorie, le fait que nous titubions légèrement dans la nuit. Valérie me tenait le bras pour ne pas tomber, mais demeurait suffisamment lucide pour nous guider. Elle répéta plusieurs fois qu'elle n'avait pas autant bu depuis longtemps, et que ça lui faisait du bien. C'est vrai, nous étions bien. Deux inconnus ensemble, ivres dans la nuit, errant pour prolonger un peu ce moment d'ailleurs. J'aime les heures déconnectées de tout ; ces instants où l'on n'a pas de comptes à rendre à sa propre vie.

Étrangement, à chaque fois que je formule un quelconque bien-être, les choses dérapent. Par superstition, il ne faudrait jamais exprimer le moindre bonheur.

Vu son état, il m'a semblé préférable d'accompagner Valérie jusqu'à sa porte. Accaparée par notre soirée, elle n'avait pas cru bon de regarder son téléphone une seule fois. Elle n'avait donc pas pris connaissance des messages interrogatifs puis inquiets de son mari. Patrick l'attendait dans le salon, les nerfs à vif. Il n'était plus du tout le même homme que celui que j'avais côtoyé à l'heure du déjeuner. Il s'est précipité vers moi, hurlant :

« T'es vraiment venu foutre le bordel toi !

— Mais… non… pas du tout.

— J'aurais dû me méfier. Qu'est-ce que j'ai pu être con de te parler ! Allez, rentre chez toi !

— Ça ne va pas, de lui parler comme ça ! Calme-toi ! s'énerva subitement Valérie, comme s'il lui avait fallu quelques secondes avant de prendre la mesure de l'hystérie de son époux.

— Mais tu t'es vue ? Tu rentres bourrée avec un mec à 1 heure du matin !

— Je l'ai juste raccompagnée, dis-je.

— Toi, ta gueule. Tu rentres chez toi, et tu nous fous la paix. Et ton bouquin de merde, t'as qu'à l'écrire sans nous !

— Arrête ! hurla Valérie.

— Ça ne te regarde pas. C'est entre nous. Va te coucher ! dit Patrick en saisissant le bras de sa femme.

— Ne me touche pas ! »

À cet instant, le couple a tourné la tête pour découvrir Jérémie et Lola figés dans le couloir, entre effroi et stupéfaction.

Valérie s'est précipitée vers eux :

« Allez vous recoucher, ce n'est rien.

— Mais maman, vous êtes en train de hurler. Qu'est-ce qui se passe ?

— Rien. C'est votre père qui devient fou !

— Moi ? C'est moi qui deviens fou ? Non mais on aura tout entendu ! Vous voyez bien que c'est votre mère qui fait n'importe quoi ! Elle est ivre. Et allez vous recoucher, on vous a dit !

— Vous êtes sûrs que ça va ? s'inquiéta Lola en jetant un regard vers son père.

— Mais oui ! » dit Patrick en tentant cette fois de baisser d'un ton.

Les adolescents ne bougèrent pas. Valérie finit par les raccompagner dans leur chambre, leur parlant d'une voix rassurante. Je me suis alors retrouvé seul face à Patrick qui me fusillait du regard. J'avais le choix entre partir et recevoir un coup. Il m'a semblé préférable d'opter pour la première solution.

53

J'ai donc quitté précipitamment l'appartement des Martin, sans même dire bonsoir à Valérie. Je suis resté un instant dans la pénombre devant la porte, pour m'assurer que la situation rentrait dans l'ordre. Étrangement, je n'étais pas inquiet. Patrick était entré dans une colère noire, mais je ne le croyais pas du tout violent. Au bout d'un moment, j'ai entendu Valérie dire : « Ne m'adresse plus la parole ! », sans doute en revenant dans le salon, et puis plus rien. Le calme semblait revenu, et chacun d'eux devait se terrer dans un coin. J'avais le sentiment d'avoir été le détonateur d'une dispute qui pourrait être l'ultime ; une dispute dont on ne se remet pas. J'imaginais Valérie en train de ruminer. Que faire ? Lui envoyer un message ? Ou à Patrick ? Pour m'excuser de ce qu'il avait pu penser, et tenter de calmer le jeu. J'étais perdu. Il était préférable que je laisse passer l'orage ou la tempête (je ne pouvais qu'être imprécis sur le degré climatique du désordre).

Une fois dehors, je me suis assis sur un banc tout proche pour reprendre mes esprits. J'ai pensé à nouveau que leur couple ne se remettrait pas de cette soirée. Valérie ne lui pardonnerait jamais son attitude. Elle avait peut-être même éprouvé une forme de honte, du fait qu'il se soit ainsi comporté sous mes yeux. Alors qu'elle avait déjà pensé le quitter, il finissait de se saborder. Les deux étaient sûrement liés d'ailleurs. Quand on sent que l'autre s'éloigne, il arrive qu'on agisse contre ses propres intérêts. Dans la panique, on en vient à donner des raisons supplémentaires de fuir à celui qu'on aime. Bref, dans la vie amoureuse, on passe son temps à se tirer des balles dans le pied.

Patrick n'avait plus la moindre lucidité. Lui qui aimait sa femme avait laissé libre cours à une intolérable impulsivité. Il aurait pu l'accueillir tout sourire, en lui demandant si elle avait passé une bonne soirée. Mais je voyais dans son attitude le comportement d'un homme blessé. Pourtant, je n'avais pas envie de le défendre. Dans son naufrage, il emportait mon projet. Ce qui était, de mon point de vue d'écrivain égotique, la véritable catastrophe de la soirée. Il avait été clair : j'étais à présent exclu. Je ne le voyais pas revenir vers moi pour me raconter ses déboires professionnels. Et il empêcherait les autres membres de la famille de me parler. Après 39 567 mots, je me retrouvais donc dans une impasse. Je n'avais plus qu'une chose à écrire maintenant :

FIN

54

Je suis resté encore un moment sur ce banc. La nuit aussi semblait être sur pause. Personne ne passait, et les voitures étaient rares. On aurait dit un Paris en manque d'inspiration. J'ai fini par me lever, pour rentrer. Quelques mètres plus loin, je reprenais espoir. La marche est mon soutien de toujours. Je pouvais inventer la suite de l'histoire des Martin. Voilà ce que je me suis dit. Il me restait cette possibilité : renouer avec le roman.

55

Une fois chez moi, j'ai su tout de suite que je ne parviendrais pas à dormir. Je suis allé me passer un peu d'eau sur le visage dans la salle de bains.

Mais ce n'était pas lié à l'ivresse. La scène chez les Martin avait comme chassé l'alcool de mon sang. En m'observant dans le miroir, je dus admettre que je n'avais jamais été doué pour la gestion des lumières. Un atroce néon m'offrait une version crue et blafarde de moi-même. Ce n'était vraiment pas le moment. En proie au doute, j'aurais voulu être rassuré par un visage plus avenant. Contrairement à ce que j'avais imaginé en chemin, il me paraissait absurde à présent d'inventer la suite de vies réelles. Il fallait choisir son camp : réalité ou fiction. Je ne croyais pas au mélange des deux. Certes, il me restait le voyage avec Madeleine. Mais serait-ce suffisant ? Et qui pouvait me garantir qu'Yves Grimbert serait un bon personnage ? Je me laissais noyer par une grande vague de pessimisme. Plus rien ne m'excitait vraiment. J'avais envie de me vautrer dans une orgie de Lagerfeld.

C'est au cœur de ce désespoir littéraire, assis à même le carrelage froid de ma salle de bains, que je saisis mon téléphone pour envoyer un message à Marie. Il était presque 2 heures du matin et je savais très bien comment étaient perçues les choses dans le monde amoureux : quand on écrit après minuit, c'est forcément qu'on est déprimé. Rien ne vaut le petit message rassurant et faussement inoffensif du milieu d'après-midi. À cette heure-ci, elle allait se dire que je craquais, que j'agonisais sans elle, et il faut bien avouer qu'elle n'aurait pas tout à fait tort. Mais la conversation avec Valérie m'avait donné envie de prendre de ses nouvelles.

Et puis, il y avait le contexte, bien sûr ; celui d'une nuit mouvementée. Quand on se sent fragile, on regrette amèrement la personne avec qui on partageait tout. Être à deux équivaut, d'une certaine manière, à couper les blessures en deux.

Qu'y a-t-il de mal à dire à une personne qu'elle nous manque ? Voilà, juste lui dire ça. Et ajouter peut-être : je pense à toi. Oui, je pense à toi. Ça ne me paraît pas trop étouffant. Une pensée comme ça, presque amicale[1]. J'espérais qu'elle ne trouverait pas ça trop gênant ou pathétique. Si elle ressentait cela, je préférais qu'elle ne réponde pas. Un simple « merci » un peu froid ou distant eût été insupportable. Ou pire, un « merci beaucoup » qui nous plongerait alors définitivement dans le monde de la politesse désincarnée. Au fond, il était préférable de ne pas recevoir de réponse. J'envoyais ce message comme on émet des signaux dans l'espace pour vérifier s'il n'existerait pas une vie extraterrestre. C'était ça, ce message : une simple façon de se déclarer encore vivant.

Il s'est alors passé quelque chose d'un peu fou : elle m'a répondu presque instantanément. J'ai vérifié plusieurs fois que c'était bien elle et non pas une vue de mon esprit. Oui, c'était M-A-R-I-E. Elle me disait qu'elle était ravie de me lire, et d'avoir de mes nouvelles. L'éclair d'une seconde, je me suis demandé pourquoi elle ne dormait pas,

1. Même si l'amitié existe beaucoup moins la nuit.

à cette heure si tardive. Elle qui, habituellement, adorait se coucher avant minuit. Elle n'était peut-être pas seule ? J'étais vraiment ridicule de parasiter un moment si merveilleux par des pensées superflues. Je devais me concentrer sur l'essentiel : elle m'avait répondu *immédiatement*. Oui, elle avait répondu sans faire semblant, sans faire comme tous les autres qui attendent toujours un peu pour ne pas montrer qu'ils sont des êtres assoiffés de connexion humaine. Alors que rien n'est plus beau que de s'offrir dans le vêtement misérable d'une réponse immédiate.

Et puis, sa réponse était divine de simplicité. Elle avait juste écrit que cela lui faisait plaisir de me lire. Et qu'elle espérait aussi que j'allais bien. Nous avons échangé quelques messages bienveillants pour finir par l'expression du désir de se revoir bientôt. Oui, ce n'était pas un roman, mais la réalité : nous avions planifié de nous revoir. Je n'en revenais pas de la tournure qu'avait prise cette soirée ; cette façon d'être passé de la douleur d'une confession à l'amusement d'une errance ; du désastre d'un couple à la promesse d'un autre.

56

Pour rompre avec la cyclothymie des dernières heures, je suis retourné à ma table de travail. J'avais retrouvé l'énergie d'accomplir mon devoir, de ne pas déroger à cette règle que je m'étais fixée : noter chaque soir les avancées de mon roman.

CE QUE JE SAIS DE MES PERSONNAGES (3)

Madeleine Tricot. A fait preuve de beaucoup d'audace en venant me surprendre chez moi. Elle m'a demandé de l'accompagner à Los Angeles. J'ai pris les billets après avoir échangé quelques messages avec Yves Grimbert sur Facebook. L'incroyable simplicité de cet enchaînement m'a surpris. Après diverses sautes d'humeur, je reste très enthousiaste à l'idée de vivre ces retrouvailles. Et d'apprendre la raison du départ d'Yves.

Patrick Martin. On peut clairement considérer qu'il y a eu deux tonalités dans nos échanges. Un déjeuner agréable, et même quasi amical. Il s'est totalement prêté au jeu, me racontant son parcours et ses actuelles difficultés professionnelles. Va être convoqué demain (dans quelques heures au moment où j'écris ces lignes) par Jean-Paul Desjoyaux, son nouveau patron. Il semble vraiment craindre un licenciement. Puis, échange sur la vie de couple. Il pense que je ne peux pas comprendre. Ce doit être vrai. Déclaration d'amour pour Valérie en conclusion. Malheureusement, notre relation de confiance s'est fracassée le soir même quand il m'a vu rentrer tardivement avec sa femme. La voir ainsi, éméchée à mon bras, l'a fait sortir de ses gonds.

Nos rapports sont clairement terminés, et il ne veut plus que j'écrive sur sa famille.

Valérie Martin. Coup de cœur pour ce personnage. J'ai beaucoup apprécié son état d'esprit. Même si elle n'a cessé de vouloir m'interroger, elle s'est totalement livrée. En me racontant notamment la longue et douloureuse histoire avec sa sœur. En y repensant, je trouve complètement étrange que Stéphanie ait conservé l'accusé de réception. Je me souviens d'une histoire un peu similaire où le coupable avait agi de la même façon. Il y a peut-être un sentiment de toute-puissance dans certains crimes, un sentiment qui pousse à ne pas détruire la preuve de son méfait. Fin de soirée chaotique/ dramatique avec Patrick. Période complexe et douloureuse. Je ne sais pas du tout ce qui va se passer entre eux.

Jérémie Martin. Il m'a pris pour son soutien scolaire. Occasion pour moi de relire du François Villon. Confirmation que je préfère Paul Éluard. Toujours pas de perspectives avec lui.

Lola Martin. Contre toute attente, elle est venue me parler d'un sujet très intime : sa première fois avec un garçon. Cela m'a paru étrange, mais, en y repensant, je crois avoir compris ce qui se tramait. Pourquoi Lola m'a-t-elle confié une telle mission ? Elle qui, jusqu'ici, n'a cessé de montrer du mépris quant à mon projet. En me demandant de rencontrer son copain, elle l'a fait entrer dans mon roman. Ce qui le forcerait à agir d'une manière plus responsable. On peut se permettre des choses dans la vie qu'on ne peut plus faire si elles sont décrites dans un livre. Lola a compris le parti qu'elle pouvait tirer de mon statut d'écrivain. Pour la première fois de ma carrière, je me suis fait manipuler par l'un de mes personnages.

57

On éprouve parfois la sensation d'avoir vécu plusieurs journées en une seule. C'est exactement ce que j'ai ressenti en me couchant ; celle de m'être réveillé un mardi et de me coucher un vendredi.

58

Le lendemain matin, en ouvrant les yeux et mon téléphone, j'ai vu que j'avais reçu un message de Valérie : « Tout est rentré dans l'ordre. Pardon pour la fin de soirée. Je suis en retard, je vous raconte tout en fin de journée. » Je l'ai relu plusieurs fois. Une phrase m'intriguait : « Tout est rentré dans l'ordre. » Ça voulait dire quoi ? Que Patrick s'était calmé ? Que leurs problèmes de couple s'arrangeaient ? Je n'arrivais pas à trouver une voie fiable dans le labyrinthe énigmatique de ces quelques mots. Il me sembla, en tout cas, que c'était positif pour mon roman. Si le calme revenait, on pourrait m'accueillir à nouveau, sans voir en moi un intrus ou un ennemi. Cela dit, j'ai eu comme l'impression que Valérie m'avait écrit rapidement, comme pour me rassurer. La situation devait être nettement moins claire. Pire encore : il était possible qu'elle n'ait pas rédigé elle-même ce message. On voyait souvent ça dans les faits divers. Patrick avait peut-être assassiné toute sa famille à la suite de la dispute, et s'était emparé du téléphone de sa femme. C'est bien connu, tous les meurtriers font ça pour gagner du temps : ils rédigent des SMS en se faisant passer pour leurs victimes.

59

Il y a toujours un moment où on se laisse aller à la version noire d'une histoire. Mais soyons clair : à l'heure qu'il était, il semblait très difficile de savoir si mon roman allait prendre une tournure à la Stephen King ou à la Barbara Cartland.

60

En attendant de découvrir la suite de l'intrigue (notamment le résultat de l'entretien de Patrick avec Desjoyaux), j'étais un peu désemparé. Je pouvais passer la journée à retranscrire ce que je savais déjà, mais il me semblait que je devais d'abord vivre ce roman avant de le raconter. Je pensais même qu'il serait contre-productif de me replier sur moi-même pour transformer dès maintenant les actes en mots. Mais que faire aujourd'hui avec les Martin ? Je devais laisser Madeleine préparer son voyage. Il ne me restait finalement qu'une seule piste disponible : rencontrer le fameux Clément.

Je lui ai envoyé un message auquel il a répondu quelques minutes plus tard, pendant une pause entre deux cours, ai-je imaginé. Lola avait dû le prévenir car il accepta aussitôt un rendez-vous en fin de journée, dans un café à proximité de son lycée. Qu'allais-je bien pouvoir lui dire ? Il était censé me convaincre de ses louables intentions vis-à-vis de Lola. Et je venais de comprendre la démarche de la jeune fille. J'étais comme un huissier qui valide la légitimité d'un acte, presque un témoin de moralité. Mais qu'étais-je censé faire ? Le menacer s'il se comportait mal ? « Si tu la quittes après avoir couché avec elle, je peux te dire que je dresserai un portrait très peu flatteur de toi dans mon livre ! » C'était plus ou moins ce que Lola voulait que je fasse comprendre à ce garçon.

Je m'en veux de présenter les choses ainsi. Je donne l'impression de prendre cette intrigue à la légère, comme une petite mission à accomplir parmi d'autres enjeux plus essentiels. Si je décide de conserver ce passage dans mon livre, c'est que le sujet me paraît passionnant. J'aurais tout à fait pu écrire un roman entier sur ce que représente la première fois où l'on fait l'amour. C'est quelque chose d'obsédant qui devient inoubliable ; et c'est finalement un des rares moments importants de la vie qui ne permette pas de brouillon. Ce n'est sûrement pas si grave de se tromper, mais toute nature un tant soit peu romantique se met une pression terrible. Sous ses airs désinvoltes et un peu hautains, Lola cachait une nature fragile et inquiète ; elle connaissait le pour de la situation (son désir pour ce garçon) et le contre (sa réputation). Elle avait déjà les cartes en mains et cela formait un combat entre le corps et la raison. Je devais tenter de l'aider à résoudre cette équation, sachant que j'étais moi-même du genre à tergiverser des heures concernant mes sentiments et les actes amoureux à accomplir ; j'avais l'impression qu'on envoyait un végétarien régler un conflit dans une boucherie[1].

61

Un peu plus tard dans la journée, j'ai à nouveau pensé au « tout est rentré dans l'ordre » de Valérie. J'y croyais de moins en moins. C'était le genre de message qu'on envoyait à la va-vite le matin pour rassurer le témoin d'un désastre. J'ai imaginé qu'elle voulait surtout que je le retranscrive dans

1. Autre métaphore un peu similaire qu'Albert Cossery utilise dans *Un complot de saltimbanques* : un pou au royaume des chauves.

mon livre, pour modifier immédiatement l'impression du lecteur. Je devais faire attention : mes personnages pouvaient falsifier la réalité pour se présenter sous leur meilleur jour.

Je ne voulais pas appeler Valérie, au risque de paraître trop insistant. J'étais là pour les suivre, non pour les poursuivre. Je tournais en rond sans savoir que faire. Pour tuer le temps, j'ai préparé ma valise. Il y avait un moment que je n'avais pas voyagé. Cela me renvoyait forcément à Marie. Même l'étiquette accrochée à la poignée de ma valise était le vestige de notre dernier séjour ensemble. Une preuve tangible que nous avions connu le bonheur. Nous étions allés à Budapest, et comme cachés derrière cette destination, tous les souvenirs des autres villes sont remontés à la surface. Ainsi, en choisissant mes affaires pour Los Angeles, je me suis laissé envahir par Venise, Vienne et Reykjavik. Nos ailleurs me manquaient terriblement, et j'espérais à présent que nous repartirions tous les deux. Certes, on allait simplement boire un café, mais je rêvais qu'Istanbul puisse se cacher derrière cette boisson.

Quand allions-nous nous voir ? Nous n'avions rien précisé lors de notre échange nocturne, mais seulement exprimé un simple vœu. Qui devait écrire à l'autre en premier ? Tout me paraissait compliqué maintenant. J'avais été responsable de la reprise du dialogue entre nous, alors ce devrait être à elle de m'envoyer un message, non ?

Depuis notre séparation, le temps avait passé, et je m'étais habitué à ne plus espérer voir son prénom apparaître sur mon téléphone. Mais voilà qu'en renouant avec elle, je renouais aussi avec l'état infernal qui consiste à attendre un message de l'autre.

62

Par chance, je dus couper court à mes tergiversations : j'avais rendez-vous avec Clément. Rien ne vaut la vie des autres pour ne pas vivre la sienne. Cela me rassurait de l'attendre dans un café plutôt qu'à la sortie du lycée. Je ne voulais pas passer pour une espèce de prédateur d'adolescentes. J'avais souvent l'impression qu'on me prêtait les pires intentions (chacun ses paranoïas). À peine avais-je commandé une bière que je vis un jeune homme s'avancer vers moi. Il avait dû aller vérifier à quoi je ressemblais sur Internet. Clément balbutia qu'il était Clément, et s'installa face à moi. Je lui demandai ce qu'il voulait boire. Je sentis qu'il voulait répondre « comme vous », mais il devait paraître sérieux, alors il a évité l'appel de l'alcool pour se rabattre sobrement sur un soda.

La situation ne semblait pas le mettre à l'aise. Il aurait pu la trouver drôle ou étonnante, mais sa gêne était palpable. Comme s'il avait quelque chose à se reprocher. Je fus néanmoins surpris par autre chose : je m'étais attendu à voir apparaître une sorte de beau gosse, le genre qui fait de la guitare ou du surf, le genre qui, quand j'étais au lycée, sortait avec les filles pendant qu'elles faisaient de moi leur meilleur ami. Je découvris un garçon plutôt quelconque, qui ne semblait pas très bien dans sa peau. Un instant, j'ai même pensé que Clément avait envoyé un de ses amis à sa place. Mais non, c'était bien lui. Comment ce jeune homme pouvait-il être un tel bourreau des cœurs ? Et Lola en être tombée amoureuse ? J'avais envie de l'interroger sur ses méthodes. Cela pouvait être un portrait magnifique, celui d'un adolescent qui ne ressemble à rien mais qui possède le secret de la séduction.

Après ce moment d'observation, surtout de ma part, il se mit en devoir d'en apprendre un peu plus sur ce qui se tramait :

« Vous écrivez un livre sur Lola et sa famille, c'est ça ?

— Oui.

— Mais pourquoi ? demanda-t-il en écarquillant les yeux. Les gens vont vraiment lire ça ?

— Je ne sais pas. On verra.

— Et donc moi aussi, je serai dans le livre ?

— Oui. Enfin, peut-être.

— Je ne vois pas trop ce que je viens faire là-dedans. J'ai du mal à comprendre. Vous êtes qui exactement par rapport à elle ?

— Personne. Enfin, je ne la connais pas tellement. J'écris un livre, et elle m'a demandé de te rencontrer.

— Pourquoi ?
— Pour parler de votre situation.
— C'est quoi notre situation ?
— Tu la connais mieux que moi, je suppose.
— Pas sûr. Elle ne sait pas trop ce qu'elle veut, j'ai l'impression. Un jour elle veut être avec moi, un autre jour, elle ne me calcule pas trop.
— Tu en penses quoi, toi ?
— Ben, c'est une fille.
— Tu ne te dis pas qu'elle a raison d'avoir des doutes ?
— Pourquoi ? On est bien ensemble. Je ne comprends pas le problème.
— Elle a peur que tu fasses comme avec les autres filles. C'est ce qu'elle m'a dit.
— Et j'ai fait quoi ?
— Tu les as quittées.
— Et alors ? C'est un crime ? Je ne les aimais pas.
— Je ne te juge pas. Je te dis juste que la situation ne la rassure pas. C'est comme ça. Tu dois la comprendre…
— C'est bizarre de parler de ça avec vous. Je ne vous connais pas. Elle n'est pas assez grande pour me le dire ?
— Oui… bien sûr…
— Alors, pourquoi elle vous envoie ? Pour que vous racontiez tout ça ?
— On ne peut pas vraiment dire ça comme ça. Elle a dû se dire qu'avec un témoin… les choses seraient moins… risquées.
— Mais quel risque ?

— Celui d'être déçue j'imagine.

— C'est idiot. Vous pouvez lui dire que tout est toujours risqué dans la vie, non? dit-il, soudain étrangement mûr.

— Oui, sûrement.

— Tout ce qu'on se dit là, ça va être dans votre bouquin?

— Peut-être… je ne sais pas.

— Je vois le genre. Vous allez me faire passer pour un #BalanceTonPorc.

— Mais non… pas du tout.

— Ouais, c'est ça. Je n'ai aucune confiance en vous. Ça ne vous regarde pas, nos histoires!

— C'est Lola qui m'a demandé.

— Fallait refuser! Vous n'avez que ça à foutre, d'aller régler les problèmes d'une jeune fille? Vous êtes complètement pervers. Notez bien ça dans votre livre! Si jamais vous parlez de moi, dites bien que j'ai dit ça: vous êtes un gros pervers!

— …»

Il s'est levé et a quitté le café d'un pas rapide. J'aurais pu être décontenancé par la tournure que venait de prendre notre rencontre, mais j'ai d'abord pensé que ce jeune homme avait un charisme fou. Et que tout s'expliquait. Du haut de ses 18 ans, il avait fait preuve d'une grande assurance. J'avais été incapable de le contenir. Je m'en voulais d'avoir mal géré ma mission. Mais je pouvais comprendre que cette convocation ait pu lui paraître déplacée, et même angoissante, vu ma position. J'aurais peut-être dû lui dire que tout ce qui se passait entre nous était « hors livre ». Faire du « off » comme les politiques avec certains journalistes. Mais ce n'était pas mon projet ; j'étais là pour écrire le réel, fût-il porteur de scènes ratées ou avortées. En tout cas, il ne pourrait pas dire que je n'avais pas respecté sa volonté de voir retranscrite son insulte.

63

Quelques minutes plus tard, je reçus un message vocal de Lola. Le ton était pour le moins glacial : « Je vous déteste. Clément vient de me quitter. Vous êtes vraiment un abruti. Déjà qu'hier mes parents se sont hurlé dessus à cause de vous et ont failli se frapper. C'est quoi votre but avec votre projet à la con ? C'est de foutre en l'air notre famille ? Eh bien voilà, c'est fait. Bravo l'écrivain. Ça va mal finir tout ça. J'ai été conne aussi de vous demander de l'aide. Tellement conne. Ça se voit que vous ne comprenez rien à rien, et que votre femme, elle a bien fait de se barrer. »

La virulence de son message m'a choqué. Je n'avais fait que ce qu'elle m'avait demandé. Son intuition l'avait poussée à me proposer cette mission incongrue, et maintenant qu'elle s'était révélée désastreuse, elle m'en jugeait responsable. Elle aurait dû imaginer que Clément serait vexé par cette sorte d'entretien d'embauche un peu particulier. Elle le connaissait mieux que moi, tout de même. À vrai dire, non seulement je comprenais sa réaction, mais j'étais d'accord avec lui sur un point essentiel : aucune situation sentimentale ne peut être vécue sans risque. Lola avait peur, et rien n'était plus compréhensible. Mais tout amour comporte en lui une potentielle souffrance. Elle pourrait toujours coucher avec un autre garçon, plus rassurant, mais éprouverait-elle avec lui le même vertige ? Cela me fit penser à un dialogue de *La Sirène du Mississippi* de François Truffaut. Et qui est également repris dans *Le Dernier Métro* :

GÉRARD DEPARDIEU
Tu es si belle que te regarder est une souffrance.

CATHERINE DENEUVE
Hier vous disiez que c'était une joie.

GÉRARD DEPARDIEU
C'est une joie et une souffrance.

Lola voulait la joie sans la souffrance, et j'aurais voulu lui offrir cela. C'était la première fois qu'elle me parlait et j'avais espéré que ma mission marquerait la naissance de sa confiance. Au contraire, un nouveau membre de la famille Martin me détestait désormais. Mon livre allait peut-être finir ainsi, par la défiance de cinq personnages à mon égard. Comme tous ces écrivains adeptes du récit autobiographique qui transforment les membres de leur entourage en ennemis. Je devais faire attention avant qu'un avocat ne vienne barrer la route de la publication. Au pire, je pouvais changer les noms. Mais j'espérais que nous n'en arriverions pas là. Il devait bien exister un juste milieu entre le réel et l'assignation en justice.

64

Je suis rentré chez moi, un peu honteux. Je venais de me faire crier dessus par un garçon encore en âge d'avoir des devoirs scolaires. Je n'avais envie de rien faire ; écrire me parut à cet instant l'occupation la plus stupide pour un être humain ; après la pêche à la mouche, mais je n'en étais pas sûr. Allongé sur mon lit, j'ai voulu envoyer un message à Marie (malgré ma résolution d'attendre qu'elle se manifeste en premier) mais là non plus je n'avais nulle inspiration. On devrait pouvoir louer des auteurs qui vous soufflent les bonnes répliques au bon moment ; des athlètes du SMS ; des Cyrano de Bergerac 2.0. À vrai dire, personne ne pouvait écrire à ma place, car je ne savais même pas vraiment ce que je voulais exprimer. Je n'allais tout de même pas donner dans la redondance d'un « Je pense à toi ».

65

Heureusement, un événement équilibra un peu les énergies de la journée. Valérie me téléphona pour me raconter ce qui s'était passé la veille. Elle commença par me demander si elle ne me dérangeait pas à cette heure tardive. Je jetai alors furtivement un œil vers mon téléphone : il était déjà presque minuit. Comment était-ce possible ? J'avais passé cinq ou six heures dans un triangle des Bermudes temporel. Mes divagations avaient prospéré dans un monde où les heures avaient pris l'allure modeste de simples minutes. Il m'arrivait souvent de me perdre dans le dédale de mes rêveries, mais jamais je n'avais ressenti une telle impression du temps qui file sans être vu. En général, c'est une sensation que l'on éprouve quand on s'amuse follement. C'était donc le contraire pour moi. J'avais l'ennui palpitant ; c'est dans le vide que je ne vois pas le temps passer.

« Excusez-moi, mais je n'ai pas pu vous téléphoner avant, a enchaîné Valérie.

— Je vous en prie. Ce n'est pas grave.

— Il s'est passé une chose incroyable ce soir…

— Ah bon ?

— Oui, je n'en reviens pas. Et c'est peut-être grâce à vous finalement.

— Que s'est-il passé ?

— C'est Patrick.

— Quoi ?

— Je n'en reviens toujours pas. C'est… c'est… je n'ai pas les mots…

— Racontez-moi.

— Le mieux serait de commencer par le début, par ce qui s'est passé hier soir.

— Oui, d'accord», dis-je en tentant de masquer mon impatience; je voulais tellement connaître la teneur de cet événement mystérieux.

Elle reprit au moment où j'étais resté dans la pénombre du palier. Les enfants étaient retournés se coucher, et Valérie avait pris une couette dans un placard pour la jeter sur le canapé. Après vingt-cinq ans de vie commune, c'était la première fois que Patrick était banni du lit conjugal. Il y avait de quoi s'inquiéter. La chambre à part est souvent l'antichambre de la vie à part. Hébété, il s'exécuta sans rien dire. Il savait qu'il était allé trop loin; il avait été incapable de contenir son agressivité à mon égard. Pourtant, ce n'était pas dans ses habitudes de s'emporter. Il était le contraire d'un colérique. On pouvait même parler d'une nature tempérée, carrément introvertie parfois. Sa subite rage apparaissait comme un stupéfiant hors-piste comportemental. Ce qui n'en demeurait pas moins intolérable aux yeux de sa femme. Valérie ne voulait plus lui parler. Ni ce soir, ni plus tard. Ce qui avait eu lieu était le point ultime d'une relation déjà extrêmement fragile. Comment avait-il pu lui faire ça? Il lui avait fait honte, un sentiment dont on ne se relevait que rarement. Pire encore: il avait agi devant un témoin et en présence des enfants. On pouvait comprendre une souffrance qui se transforme en hystérie, mais elle devait rester dans la sphère intime; invisible aux autres. Donc oui, il était allé beaucoup trop loin.

Elle ruminait dans ce lit trop grand pour elle, quand elle entendit la porte s'ouvrir : « Va-t'en, je t'ai dit que je ne voulais pas te parler. Laisse-moi tranquille... » Mais Patrick demeurait hagard sur le seuil de la porte. Il prononça des mots inaudibles, trop bas. On aurait pu croire qu'il avait émis du silence. Valérie s'agaça de cette molle irruption ; même ce qui pouvait s'apparenter à une tentative de demander pardon manquait cruellement de chair. C'est alors qu'apparut quelque chose de surprenant : des larmes. Valérie fixa le visage de son mari. Elle ne se souvenait pas de l'avoir jamais vu ainsi. Patrick n'avait pas pleuré depuis la mort d'un ami dans un accident de voiture en 1997. Sans qu'elle puisse l'expliquer, cela changea radicalement son état d'esprit. Oui, on peut le dire, ces quelques gouttes d'eau salée surgissant des yeux de son mari modifièrent radicalement la situation ; et peut-être même sa vie.

Il s'avança vers elle, en pleurant toujours. Pour la première fois, il avait compris qu'il pouvait perdre la femme qu'il aimait ; un coup de poignard dans son avenir. Cette nuit à dormir sur le canapé respirait le parfum de sa prochaine solitude. Et cela le détruisait. Il avait alors relâché tout ce qu'il retenait depuis des mois. Toute cette souffrance au travail aussi jaillissait à présent. Mais le plus important, c'était Valérie. Il l'aimait, il savait comme il l'aimait, et il savait aussi à quel point il avait été incapable de le lui montrer ces derniers temps. C'est bien souvent au moment de perdre une chose ou une personne que l'on comprend enfin sa valeur. L'attitude de sa femme, quand elle l'avait sommé de dormir dans le salon, avait produit sur lui l'effet d'un électrochoc. Il ne pouvait pas la perdre. Et les larmes avaient jailli. Des larmes qui ne cessaient de couler en un flot impossible à maîtriser.

Au cœur des larmes, il tenta d'exprimer sa peur. Cela fut simple et d'une beauté désarmante. « Je ne peux pas vivre sans toi. Tu es la femme de ma vie. C'est la peur de te perdre qui m'a fait péter les plombs. Je t'en prie, pardonne-moi… » Elle eut l'impression de retrouver l'homme qu'elle avait aimé ; oui elle était face à cette sensibilité qui était devenue un paradis perdu.

Elle lui prit la main et il la rejoignit dans le lit.
Ils dormirent enlacés, toute la nuit.
Rêvant à nouveau de leur évidence.
Dans la stupéfaction d'une nouvelle naissance.

66

Un instant, il m'a semblé étrange qu'une immense rancœur et même un désamour puissent être balayés par quelques larmes. Il fallait y ajouter les mots de Patrick, sa déclaration comme l'ultime monologue d'un condamné à mort. Malgré tout ce qu'elle affirmait, c'était ce que Valérie attendait : une réaction de la part de son mari. On meurt à s'effleurer. Elle comprenait son désarroi et sa souffrance. Et cela leur faisait du bien enfin, à tous les deux, de parler et de pleurer (elle avait fini par pleurer aussi). En se retrouvant ainsi, ils admirent que cela faisait des années qu'ils ne faisaient que se frôler. Patrick voulut m'envoyer un message pour s'excuser, mais Valérie lui dit qu'elle le ferait elle-même. Tout était rentré dans l'ordre, avais-je lu.

Cette nuit de tendresse les propulsa dans une forme d'hébétude. Il y avait quelque chose de sublime à découvrir quelqu'un que l'on connaît depuis toujours. Patrick se leva pour aller préparer le petit déjeuner. Chacun de ses gestes respirait la promesse d'une nouvelle ère. Il alla réveiller ses enfants, Lola en premier puis Jérémie, et s'excusa auprès d'eux. Il leur expliqua que les bouleversements de sa vie professionnelle jouaient beaucoup sur ses humeurs. Ses enfants, en plein réveil, se montrèrent tous deux compréhensifs. Il s'en rendait compte maintenant, il ne partageait pas assez avec les siens ce qu'il éprouvait. Il laissait ses peurs et ses doutes à l'entrée de l'appartement. C'était idiot ; il fallait se dire les choses ; ne serait-ce que pour grappiller un peu de soutien. Il entendit deux fois « Ça va aller, papa », et il eut à nouveau envie de pleurer. Son système s'effondrait, et c'était la meilleure chose qui pût lui arriver.

67

Il gagna son bureau, armé d'une nouvelle énergie. Quand on retrouve l'essentiel, plus rien ne vous fait peur. Il se demanda pourquoi il s'était ainsi laissé embarquer dans une spirale d'angoisse. Bien sûr, il craignait de perdre son emploi. Mais était-ce si grave ? Il toucherait le chômage et pourrait profiter un peu de la vie, et de sa famille. Et il était probable qu'il pourrait retrouver du travail, avec son expérience. Contrairement à d'autres, contraints de subir le harcèlement sans la moindre possibilité de s'y soustraire, il comprit qu'il pouvait maîtriser son destin. Il était convoqué ce jour même, et il se préparait à être évincé. Sûrement verrait-il dans le regard de Desjoyaux l'éclat de sa perversité : celle d'achever un homme après trois jours d'attente. Une exécution mijotée, en quelque sorte. Car Patrick ne se faisait pas la moindre illusion ; il allait bientôt ranger ses souvenirs dans des cartons.

En fin de matinée, il reçut un message de Valérie qui lui disait simplement : « Je pense bien à toi pour ton rendez-vous. » Ces mots lui parurent extraordinaires. Depuis combien de temps ne s'écrivaient-ils plus de belles choses ? En remontant le fil de leur conversation, on y voyait des « Peux-tu prendre une baguette ? » ou des « N'oublie pas de rapporter un classeur pour Jérémie ». Des messages en forme d'injonctions. Des célébrations de l'ordinaire. À quel moment le lexique d'une histoire d'amour bascule-t-il ? Deux ans, cinq ans, dix ans ?

Les messages écrits deviennent les chantres de la relation pratique, oubliant ce temps où ils n'étaient qu'expression du romantique.

Il relut plusieurs fois le message, et n'avait pas envie de répondre simplement : « Merci. » Il finit par écrire que cette pensée était la force dont il avait besoin. C'était un peu grandiloquent, peut-être même ringard, mais il voulait à présent exprimer ses sentiments ; quels qu'ils soient. Un « je t'aime » maladroit vaut toujours mieux qu'une civilité brillante. Et Valérie fut heureuse de cette réponse, de ces mots qui tissaient le renouveau de leur lien. Ils se redécouvraient.

68

Il regarda son téléphone : c'était l'heure de son rendez-vous. Enfin, il allait se confronter à son harceleur. Bien sûr, cette insoutenable attente n'allait pas prendre fin si facilement. Une secrétaire expliqua que Desjoyaux était en rendez-vous téléphonique, et qu'il aurait sûrement quelques minutes de retard. Patrick s'assit donc sur une chaise dans un couloir (on aurait dit un hôpital). Il se mit à surfer sur son mobile pour se donner une contenance ; Twitter est l'équivalent de la cigarette en intérieur. Il suivait entre autres le profil de Yoko Ono, qui venait de poster une phrase sur la paix dans le monde ou quelque chose de mystique sur l'apaisement des âmes. Bref, une phrase qui lui fit du bien. Mais que savait-elle de la vie de bureau? Il l'adorait, là n'était pas la question ; mais c'était bien facile de balancer des mantras sur la beauté de la vie, et sur le fait que chaque jour est une chance à saisir, quand on n'avait pas de rendez-vous avec Desjoyaux.

Et le salaud continuait de le faire attendre ; ça n'en finissait plus. À un moment, Patrick voulut se lever et partir ; une attitude qui risquait d'équivaloir à une démission. Mais il ne pouvait pas partir sans savoir ; il voulait connaître la raison de sa convocation. Qu'avait-il fait ? Peut-être un dossier mal géré, mais il ne voyait pas lequel ; en toute objectivité, il faisait du bon travail. Personne n'avait jamais eu à se plaindre de lui, et tous ses clients lui demeuraient fidèles. Alors quoi ? Un licenciement économique ? Il ne voyait que ça. Il fallait dégraisser avant une prochaine fusion. Mais le salaire de Patrick ne représentait rien dans l'équilibre du groupe. S'en séparer ne changerait pas grand-chose, et poserait même plutôt un problème par rapport à certains dossiers. Mais bon, le nombre de ses clients n'avait pas empêché Desjoyaux de se débarrasser de Gerbier. On les avait répartis dans le portefeuille d'Untel ou Untel ; chacun ayant dû accepter ce surplus de travail sans sourciller. Si on estimait infernale la cadence, alors il suffisait de prendre la porte. Des jeunes motivés qui rêvaient de les remplacer, il y en avait des milliers. Cette énorme concurrence dont on ne savait pas toujours si elle était réelle ou fantôme était sans cesse évoquée.

Plus les minutes passaient, plus le sentiment de Patrick se renforçait : il ne voulait plus se rendre malade pour conserver son territoire, et se soumettre à la volonté d'un homme. Après une heure d'attente, il avait décidé de partir quand, enfin, il fut appelé. Il entra dans le bureau de Desjoyaux d'un pas calme et presque souverain. Ce dernier lui demanda de s'asseoir sans même le regarder, sans même s'excuser pour son retard. Tout était normal au royaume du mépris. Pourtant, Desjoyaux avait l'air plutôt sympathique ; si son corps était longiligne, sa tête offrait une rondeur parfaite. Une mine joviale posée, comme par erreur, sur un socle austère. Selon ses ordres, il ne fallait donc pas lui adresser la parole en premier ; Patrick prit position en silence, attendant que son hôte daigne relever la tête. La comédie du pouvoir pouvait commencer.

On parle beaucoup de harcèlement du point de vue des victimes. Mais quelle est la psychologie de celui qui violente ? Comment est-il, le soir, dans le noir ? Jouit-il de sa puissance sans le moindre nuage de culpabilité ? Venge-t-il une enfance de mal-aimé ? Desjoyaux serait un magnifique personnage principal. J'aimerais connaître sa vie intime, sa sexualité, savoir s'il a des enfants. Aime-t-il lire, et dans ce cas-là, est-il plutôt Proust ou Céline ? Camus ou Sartre ? C'est aussi la difficulté du réel, je ne suis pas omniscient. Quand le roman sortira, on lui dira forcément qu'il est cité. Peut-être voudra-t-il équilibrer le portrait à charge que je fais de lui ? Cela me plairait que certains de mes personnages livrent, par la suite, leur version des faits.

« Comment ça va, Martin ? finit-il par demander.
— Bien. Merci.
— Pas trop de stress ?
— Non, ça va.
— Vous pouvez tout me dire, vous le savez ?
— Oui.
— Vraiment pas de stress ?
— Le rythme est intense, mais ça va.
— Alors si ça va, je peux vous confier de nouveaux clients ?
— …
— Vous ne dites rien ?
— J'étais en train de réfléchir. C'est vous qui décidez, mais je pense que j'ai déjà beaucoup à faire. Et encore plus depuis le départ de Lambert.
— Vous pensez qu'on n'aurait pas dû s'en séparer ?
— Il faisait du bon travail.
— Moins bon que le vôtre.
— …
— Et Martinez ? Vous pensez quoi de Martinez ? Vous pensez que c'est un bon élément de la société ?
— Oui, bien sûr.
— Avec vous, "tout le monde il est beau, tout le monde il est gentil", c'est ça ?
— Non… non, fit Patrick de plus en plus gêné.

Mais vous me parlez de collègues, et je sais qu'ils travaillent bien, c'est tout.

— Et si vous étiez à ma place et que vous deviez licencier quelqu'un, ça serait qui ?

— Pardon ?

— Si vous deviez citer une personne à licencier, ça serait qui ?

— Mais je ne peux pas vous répondre. Je ne sais pas...

— Voyons, Martin. Vous êtes intelligent, vous avez du métier, vous connaissez la société mieux que personne. Alors franchement, il y a bien quelqu'un qui est en dessous du niveau général. Moi, j'ai ma petite idée. Mais j'aimerais bien avoir la vôtre. Pour comparer.

— Vous me mettez dans une situation trop délicate, si je peux me permettre. Je ne peux pas citer un collègue.

— Au fond, ça ne m'étonne pas. Je comprends pourquoi votre carrière en est là. Aucune prise de risque jamais. C'est un choix, Martin. C'est un choix. Mais je suis déçu. J'attends beaucoup plus de vous si vous voulez évoluer dans la nouvelle organisation de la société.

— Vous attendez que je dénonce des collègues ?

— Mais non, pas du tout ! Tout de suite les grands mots ! Je veux juste échanger avec vous. Avoir votre avis. Et c'est aussi pour ça que je voulais vous voir.

— Avoir mon avis ?

— Oui. Vous n'avez rien remarqué dans ce bureau ?

— Non, fit Patrick après avoir balayé du regard la pièce.

— Vous êtes sûr ?

— Oui. Enfin, je ne sais pas. Je ne viens pas souvent dans ce bureau.

— Les rideaux.

— Quoi les rideaux ?

— J'ai fait changer les rideaux.

— Ah…

— Je voulais avoir votre avis.

— Sur quoi ? Les rideaux ?

— Oui, exactement.

— Vous vouliez avoir mon avis… sur les rideaux ?

— Vous comptez répéter ça combien de fois ? Il n'y a rien d'extraordinaire à ça. Je voulais effectivement avoir votre avis sur mes nouveaux rideaux.

— C'est pour ça que vous vouliez me voir ?

— Oui.

— Impérativement ? Depuis trois jours ?

— Oui, car je n'étais plus vraiment sûr de mon choix. Et je me suis dit : "Tiens, Martin, il doit avoir un bon regard là-dessus."

— Moi ?

— Oui, c'est une intuition que j'ai eue. Alors ? C'est bien, ce marron ?

— Je ne sais pas. Ils sont très bien, répondit Patrick, totalement hagard ; la tournure de la conversation le stupéfiait au-delà du possible, le propulsait dans une sorte de choc anesthésiant toute réaction.

— Très bien, c'est tout ce que vous en dites ?

— …

— Rien ne vous gêne en particulier ? Les losanges ne vous agacent pas ?

— Non.

— Bon, je vous fais confiance.

— Si c'était pour ça… je peux partir… maintenant ?

— Oui, bien sûr, Martin. Vous pouvez. C'est toujours plaisant de parler avec vous.

— … »

Patrick quitta le bureau de Desjoyaux, laissant le dialogue s'achever dans le vide. Le couloir à traverser pour rejoindre l'ascenseur lui parut incroyablement long. Chaque pas lui demandait un effort. Il finit par s'arrêter devant la machine à café, la gorge sèche, mais incapable de savoir ce qu'il voulait boire. Une collègue s'arrêta près de lui : « Ça va ? » demanda-t-elle ; avant d'ajouter : « Tu es tout pâle. » Il répondit que ça allait pour la rassurer, mais elle préféra rester un peu près de lui. Sophie, tel était son prénom, finit par proposer à Patrick de venir s'asseoir cinq minutes dans son bureau. Ils firent quelques pas ensemble, et il put enfin se poser à l'abri des regards. Elle lui apporta un verre d'eau, et un mouchoir pour qu'il s'éponge. Il avait tous les symptômes d'un état grippal.

Assis dans le bureau de cette collègue qu'il connaissait si peu, il se souvint de ce qu'on lui avait dit sur elle. On ne savait pas si c'était une rumeur ou non, mais Patrick avait plusieurs fois entendu une histoire concernant Sophie : elle aurait assisté au suicide de son binôme ; dans l'ancienne société où elle travaillait, elle partageait son bureau avec un homme depuis plusieurs années. Un jour, subitement, alors qu'ils venaient d'avoir une banale conversation à propos d'un film, il s'était levé et avait sauté par la fenêtre. Oui, Patrick la reconnaissait maintenant ; c'était la fille du suicide, voilà comment on l'appelait. Il ne savait pas quelle conclusion tirer de ce fait, mais au moment où il avait manqué défaillir, elle avait fait preuve d'une attention adorable à son égard. Tandis qu'il était en train de boire un troisième verre d'eau, elle lui adressa un grand sourire.

Tout ce que voyait Patrick semblait déformé. Il mit un certain temps à régler sa vision, comme le focus d'un appareil photo compliqué. Il se releva et remercia Sophie pour son aide. Il balbutia qu'il avait dû être victime d'un coup de pompe lié au rythme du travail. « Faut que je parte en vacances ! » avait-il fini par annoncer avec une décontraction peu crédible. Sophie masqua son inquiétude et exprima simplement le fait qu'elle était là, s'il avait besoin de quoi que ce soit. Sans doute était-elle rongée par la culpabilité, cette condamnation à perpétuité des témoins.

En retournant vers son bureau, il sentit progressivement un poids s'échapper de son corps. La tension des derniers jours retombait. Il n'allait donc pas perdre son emploi, mais l'entretien confirmait plus que jamais que la direction du groupe était tombée aux mains d'un monstre cynique. Il aurait voulu en rire, il aurait pu en rire, mais son corps en avait décidé autrement. Et c'est toujours le corps qui décide. Au fond de lui, dans sa chair ou son cœur, il était ébranlé. Des années à travailler, à se battre pour le collectif, pour finir humilié. Car on ne pouvait pas trouver un autre mot que celui-là : il venait de subir une véritable humiliation.

69

Il envoya un message à sa femme pour lui dire que tout s'était bien passé, et régla quelques affaires courantes. Il annula un rendez-vous chez un client, prétextant une poussée de fièvre. Il n'avait pas le courage de traverser Paris pour parler assurance-vie. Il se dit que, pour une fois, il pourrait aller au cinéma. Personne ne vérifiait son emploi du temps ; à juste titre d'ailleurs, il travaillait bien plus que de raison. Oui, voilà, c'était une idée. Prendre une après-midi, et entrer dans une salle obscure. Voir n'importe quel film, comme ça. Depuis quand n'était-il pas allé au cinéma ? Il n'en avait aucune idée. C'était peut-être un film d'action vu avec son fils. Un *Mission impossible* sûrement. Oui, c'était ça. Il se souvenait maintenant de Tom Cruise en haut de la plus grande tour du monde, à Dubai. Patrick était assis dans son bureau, devant ses Post-it, et se remémorait cette image de l'héroïsme à l'état pur. Il se demanda furtivement comment Tom Cruise aurait réagi à un rendez-vous avec Desjoyaux ; quelle aurait été la manifestation de son courage ?

Finalement, Patrick n'alla pas au cinéma ce jour-là, mais opta pour une longue promenade. Ça non plus, il ne l'avait pas fait depuis longtemps. Il ne savait même plus à quoi ça ressemblait, un mardi après-midi. Il erra sans répondre à son téléphone. Le quartier d'affaires était vide à cette heure. Les hommes et les femmes, dans l'exercice de leur importance, se rangeaient sagement dans leurs petites cases. On pouvait considérer les immeubles autour comme des meubles avec des tiroirs à humains. Tout lui paraissait ridicule. Il finit par s'installer dans un bar PMU pour boire une bière en regardant les courses de chevaux. Pendant une heure, il eut l'impression d'effleurer l'idée du bonheur. Il tenta même de contenir, on peut le dire, une certaine euphorie. Il constata les appels en absence sur son écran, et pensa à ce temps d'avant le téléphone portable, où les errances étaient pures.

70

Au moment où les employés quittèrent les tours pour se ruer dans le métro, Patrick fit le chemin inverse et retourna à son bureau. Il prévint Valérie qu'il rentrerait un peu plus tard, prétextant des dossiers à finir. Elle trouva décevant que, ce jour de leur renouveau, il ne fît pas l'effort de rentrer tôt à la maison, mais elle se dit qu'il n'avait pas le choix. À vrai dire, il n'ouvrit aucun dossier, ne rappela personne. Les problèmes de ses clients n'étaient plus les siens. Inondation, tremblement de terre, accidents en tous genres, plus rien ne pouvait l'atteindre.

Son service était maintenant désert. Il sortit de son bureau, se dirigea vers l'ascenseur, et monta jusqu'à l'étage de Desjoyaux. Il traversa à nouveau ce long couloir qu'il avait parcouru quelques heures plus tôt, mais il lui parut cette fois-ci moins long. Les distances sont toujours sous l'influence de notre état d'esprit. Il aperçut une femme de ménage qui s'affairait dans un bureau, et s'arrangea pour qu'elle ne le remarque pas. Ce qui n'était pas difficile ; elle semblait faire son travail de manière mécanique, sans même se soucier de ce qui se passait autour d'elle. Des gestes répétitifs, chaque soir, en luttant contre la fatigue. C'était elle Tom Cruise, pensa Patrick. Puis, il continua sa route. Mais, avant d'atteindre le bureau de Desjoyaux, il bifurqua vers l'escalier de service pour s'emparer de l'extincteur. Il retourna ensuite sur ses pas, pour rallier le lieu de l'humiliation.

La porte étant ouverte, il s'assit un instant dans le fauteuil de Desjoyaux. Mais assez vite il pivota pour observer les rideaux. Les nouveaux rideaux. Les fameux rideaux. Un peu plus tôt dans l'après-midi, Patrick avait acheté un Zippo au bar PMU. Il l'ouvrit à l'aide de son pouce, ce geste qui rendait cool n'importe quel homme. D'ailleurs, c'était exactement la tonalité de l'attitude de mon héros. Certains sont frappés par la grâce en pleine révélation mystique, Patrick avait comme subi une greffe de nonchalance. Alors qu'il prenait un risque insensé (un vigile ou un témoin pouvait passer à tout moment), il était d'une tranquillité absolue. À vrai dire, il agissait comme quelqu'un qui n'a plus rien à perdre.

Il mit le feu aux rideaux neufs de Desjoyaux.

71

Tandis que les rideaux s'enflammaient, il utilisa l'extincteur pour éteindre l'incendie naissant. Il sortit calmement du bureau, et une demi-heure plus tard, il était chez lui. Valérie l'attendait au lit, en train de lire. Il s'allongea près de sa femme, et l'embrassa. Les enfants étaient déjà dans leur chambre. Valérie lui demanda s'il avait faim ; il répondit qu'il s'en occupait. Ils allèrent tous les deux à la cuisine, et il se prépara une omelette au fromage. Cette soirée banale avait le charme d'une première fois.

Alors qu'ils se racontaient leur journée, Patrick annonça calmement : « Il m'a convoqué pour que je lui donne mon avis sur ses rideaux. Tu te rends compte ? Pour la peine, je suis retourné ce soir dans son bureau, et je les ai brûlés. » Elle lui demanda de répéter plusieurs fois. Oui, elle avait bien entendu. Connaissant son mari, elle savait à quel point il avait dû être à bout pour accomplir ce geste perdu entre le désespoir et la bravoure. Il dit tout bas que c'était leur discussion de la veille qui lui avait donné la force d'agir ; il ne voulait plus se soumettre. Bien sûr, il y aurait des conséquences (Desjoyaux le désignerait forcément), mais cela n'avait plus d'importance.

Ils partirent subitement dans un fou rire. Au fond, elle pouvait le comprendre mieux que quiconque. Elle n'était pas victime de harcèlement, mais cela la renvoyait à son sentiment de vie incolore. Elle n'avait plus goût à son quotidien ; et si la solution se trouvait dans le saccage ? Valérie ne se voyait certes pas détruire la bibliothèque de son établissement, mais peut-être devait-elle à son tour affronter l'avenir moins poliment ? La veille encore, elle aurait pu en vouloir à son mari de mettre ainsi à mal leur équilibre, d'agir idiotement sans considération pour les conséquences, mais tout était différent aujourd'hui. Elle admirait son geste, et c'était si bon d'admirer son mari.

Ils allèrent dans la chambre et firent l'amour. Patrick s'endormit épuisé par le tourbillon des émotions récentes. Valérie retourna vers la cuisine pour me téléphoner. Tout cela était bien trop romanesque pour le garder pour soi.

72

Jamais je n'aurais pu imaginer une telle attitude de la part de Patrick. Il me parut évident que mon intrusion dans cette famille avait agi comme un détonateur. Il faudrait plonger un écrivain dans tous les groupes qui ronronnent. À vrai dire, il me semblait plus juste de penser les choses un peu différemment. Oui, j'en étais persuadé maintenant : toute personne que l'on met dans un livre devient romanesque.

73

CE QUE JE SAIS DE MES PERSONNAGES (4)

Madeleine Tricot. Rien de nouveau. Elle a dû préparer sa valise. Dans deux jours, nous partons pour Los Angeles.

Patrick Martin. On pourrait écrire un roman uniquement sur sa journée. A pleuré pour la première fois depuis si longtemps. Un renouveau par les larmes. Je ne pouvais pas m'attendre à cette histoire de rideaux. Ce Desjoyaux est vraiment un psychopathe. Parfait pour mon roman. Il faut toujours un méchant dans n'importe quelle histoire. Et quelle folle réaction de Patrick. Suis fier de mon personnage. Il devrait être licencié pour faute grave. Et peut-être poursuivi en justice s'il y a dépôt de plainte.

Valérie Martin. Revirement total de situation. Après l'annonce imminente d'un divorce, la voilà semble-t-il amoureuse à nouveau. On peut considérer qu'elle en voulait à son mari de ne pas être à la hauteur de l'enjeu du quotidien. Sûrement n'a-t-elle jamais cessé de l'aimer. Je ne veux pas jouer les Cassandre, mais j'ai tout de même le sentiment que le parfum d'euphorie qui s'empare d'elle peut être tout aussi fugitif que l'expression récente du désamour.

Jérémie Martin. Rien de nouveau. J'espère au moins qu'il aura une bonne note grâce à moi.

Lola Martin. Je ne sais pas si notre relation peut encore se dégrader. Elle m'a traité d'abruti. Ce que je trouve injuste. J'ai simplement tenté de faire ce qu'elle m'a demandé. Rencontre avec Clément qui s'est énervé. Je peux le comprendre. Il a détesté que son désir de sortir avec Lola soit soumis à mon approbation. Conséquence : rupture immédiate. C'est peut-être un drame, c'est peut-être une chance, qui sait ?

74

Le lendemain fut une journée très particulière. On aurait dit que mes personnages avaient pris congé de moi. J'ai attendu d'avoir des nouvelles, en vain. J'ai fini par adresser un message à Valérie qui m'a répondu un lapidaire « Je vous raconte tout plus tard ». Je dois bien admettre une chose : il y a un temps pour l'action, et un autre pour la narration. Il me fallait laisser vivre les Martin avant de les transformer en chapitres.

Ne sachant que faire (le reste de ma vie était sur pause), je suis allé rendre visite à Madeleine. Elle était toute concentrée sur l'organisation de notre périple[1]. Elle ne voulait rien oublier. C'est alors qu'elle releva la tête pour me dire : « C'est sans doute la dernière valise de ma vie. » Peu de phrases auraient pu me bouleverser davantage que celle-là. Il y a donc un âge où chaque action, fût-elle anodine, est accompagnée d'une telle pensée. Tout est potentiellement *la dernière fois*.

Je lui ai dit qu'elle pouvait prendre beaucoup d'affaires, que je serais là pour porter. Au fond, je la voyais brasser du vent. Elle sortait des vêtements de son placard, pour les y remettre cinq minutes plus tard. Madeleine semblait rattrapée par l'anxiété de ce qu'elle s'apprêtait à vivre. L'imminence

1. Chez certaines personnes, préparer une valise prend presque plus de temps que le voyage en lui-même.

du concret avait renversé l'émotion initiale. Ne restaient que l'appréhension et une avalanche d'interrogations. Et notamment : comment s'habiller quand on revoit l'homme de sa vie après cinquante ans ? Il allait forcément la trouver vieille et fripée. Elle ne pensa pas un seul instant qu'il pouvait partager la même inquiétude.

Encore une fois, dans l'écho incessant des histoires, je pouvais comprendre son appréhension. Comment allais-je m'habiller le jour de mes retrouvailles avec Marie ? Simple et décontracté, pour paraître détendu. Mais cela pourrait passer pour de la désinvolture au vu de l'importance du moment. Un peu plus chic alors ? Veste, chemise. Au risque de renvoyer une image un peu grandiloquente. Au fond, ce n'est jamais bon signe que de commencer à tergiverser. Je devais me laisser guider par mon intuition. Et d'ailleurs, cette rencontre, allais-je la vivre ? Après tout, elle ne m'avait toujours pas écrit. Notre conversation nocturne n'avait peut-être été qu'un mirage.

75

Le soir même, je n'avais rien à noter de nouveau sur mes personnages. Valérie ne m'avait pas téléphoné comme prévu. Il s'était forcément passé des choses après l'affaire des rideaux brûlés, mais quoi ? J'avais l'impression d'être à la fin de la première saison d'une série, et de devoir attendre des semaines pour connaître la suite. C'est finalement le paradoxe de notre époque : comme nous nous sommes habitués à avoir tout immédiatement (il n'existe plus le moindre délai entre l'envie et la concrétisation de cette envie), la grande entreprise moderne consiste à créer de la frustration. C'est même sûrement ça qui excite le consommateur : être en manque. Et j'en étais réduit à ce même constat : je n'avais pas eu ma dose de Martin.

76

Le lendemain, je suis passé chercher Madeleine, et nous avons pris un taxi pour l'aéroport. Juste avant d'embarquer, j'ai envoyé un message à Valérie pour lui dire que tout allait bien, mais elle n'a pas répondu. Ni même écrit à sa mère pour lui souhaiter un bon voyage. Je commençais à trouver son silence très inquiétant.

77

Une fois au-dessus des nuages, nous avons commandé une coupe de champagne. Madeleine voulait que ce voyage soit inoubliable. Comment pouvait-il en être autrement ? Tout ce que nous vivions était un antidote à l'amnésie. Les bulles me montèrent vite à la tête, et me firent du bien. Si j'adorais voyager, il m'arrivait d'être un peu stressé en avion. Je préfère le train. L'idéal serait des rails dans le ciel.

L'hôtesse de l'air s'est alors approchée de moi pour me demander : « Vous êtes sur un nouveau livre ? » J'ai marqué un temps d'arrêt avant de lui répondre. Je trouve ça toujours étrange qu'on puisse me reconnaître. Même si certains de mes livres ont eu du succès, cela me paraît encore improbable. J'ai voulu lui répondre : « Oui, il est assis à côté de moi », mais je ne voulais rien dévoiler du projet actuel. D'une manière générale, évoquer une création en cours me paraît presque une façon d'en crever le cœur. Pour chaque livre, j'ai passé des mois sans en parler à quiconque. J'ai finalement répondu à l'hôtesse que je faisais une pause pour le moment, et elle me dit que j'avais bien raison de *profiter de la vie*.

Elle est repartie répandre sa bonne humeur vers d'autres rangées, sans que je puisse lui dire que je profitais bien plus de la vie si j'avais un roman en gestation. Madeleine coupa ma réflexion existentielle en me demandant ce que j'allais choisir pour le repas. Je n'avais pas encore ouvert le menu[1]. En le parcourant, j'ai opté pour le végétarien. Madeleine parut très heureuse en m'énonçant

1. Décision absurde : la viande et le poisson ont exactement le même goût dans les plateaux-repas des avions.

que c'était son choix aussi ; comme si ce point commun équivalait à une même conception de la vie.

78

Jusqu'à ce moment, Madeleine avait évoqué le drame du départ d'Yves, et les affres d'un amour si fort, mais je n'en savais pas beaucoup plus. Avant les retrouvailles, j'avais besoin de davantage de matière. Au-dessus de l'Atlantique, nous sommes donc repartis vers le passé.

Tout avait commencé dans un club de jazz, mais elle ne se souvenait plus duquel. Je lui ai cité quelques lieux mythiques comme le Caveau de la Huchette ou le Duc des Lombards mais aucun nom ne lui semblait familier. Elle me dit juste que Miles Davis était venu jouer dans cet endroit, accompagné par Juliette Gréco, une quinzaine d'années auparavant. Cela ne m'aidait pas spécialement : le célèbre couple avait fréquenté la plupart des grandes scènes de jazz.

En revanche, elle ne pourrait jamais oublier cet instant. Alors qu'elle écoutait le concert, elle avait tourné la tête sans trop savoir pourquoi. Peut-on ressentir les vibrations d'une personne qui va nous troubler avant même de la voir ? Comme si le corps était doté d'une sorte de prémonition affective. Elle remarqua une ombre masculine dans un recoin de la cave enfumée. On ne voyait de cet homme qu'une silhouette. Il fumait en hochant tranquillement la tête. Madeleine se sentit irrémédiablement attirée par cette forme humaine mystérieuse. Elle s'approcha, traversant à contre-courant la foule des spectateurs. Le rythme effréné du be-bop offrait à la scène les mêmes symptômes qu'une fièvre. Plus elle avançait vers l'homme, plus elle découvrait son visage. Yves ne put faire autrement que de remarquer cette jeune femme qui l'observait sans la moindre discrétion. Ils finirent par se sourire. Madeleine trouva une excuse à son attitude : « Il fait si chaud ici. J'avais besoin de respirer un peu. » Et pourtant, s'il y avait bien un endroit au monde où elle ne pouvait pas respirer, c'était face à cet homme. Exactement comme si elle avait couru toute sa vie pour pouvoir enfin s'arrêter maintenant.

Leur premier moment débuta sur une incompréhension. Yves proposa à Madeleine de sortir prendre l'air. Elle y vit un désir de s'échapper à deux, alors qu'il s'était simplement inquiété pour cette jeune femme qui disait suffoquer. Elle se souvint d'une conversation facile, toute la matière de ce qu'on peut appeler : une connivence. Tous deux décidèrent finalement de ne pas retourner dans le club, et d'aller boire un verre dans un bistrot à côté. Accaparée par le moment, Madeleine oublia d'avertir l'amie avec qui elle était du changement de direction de sa soirée. Quant à Yves, il était venu seul écouter du jazz, et cela lui allait si bien, pensa Madeleine.

Le couple devint rapidement inséparable. Yves était totalement séduit par la vivacité de Madeleine, sa capacité à rendre la vie plus intense. Il ne se doutait pas qu'il en était responsable ; depuis qu'elle avait rencontré cet homme, Madeleine éprouvait le sentiment d'être *la meilleure version d'elle-même*. Il aimait leurs après-midi au lit, l'un contre l'autre. En passant sa main dans ses cheveux, il se sentait enfin au bon endroit ; son errance terrestre avait pris fin au détour d'une nuque.

Habituellement secret, Yves se confiait beaucoup à Madeleine. Il se sentait moins taciturne. Ses angoisses, ou sa simple mélancolie, se raréfiaient au profit de joies simples. Une vie entière pouvait reposer dans le plaisir d'un chocolat chaud au Café de Flore, pensait-il. Non sans être traversé parfois par l'idée que le temps de l'idylle aurait une fin, forcément.

Madeleine travaillait déjà dans un atelier de couture, et son cœur battait quand Yves venait l'y chercher le soir. Elle ne vivait désormais que dans l'attente de leurs moments. Ils allaient au cinéma ou se promenaient, et le temps passait idiotement vite. Yves venait d'hériter de son père et voulait écrire ; il avait tenté la poésie, le roman, le théâtre, la chanson même, avant d'opter pour le scénario. Il essayait d'accoucher d'un film noir, et c'était aussi pour cette raison qu'il arpentait les clubs de jazz, dans l'espoir d'y trouver sinon l'inspiration, du moins une atmosphère. Il se glissait toujours au fond de la salle pour observer le grand angle de la scène. Il lui arrivait de se sentir abattu, de penser qu'il n'avait aucun talent. Pendant des jours et des jours parfois, il préférait alors rester seul. Madeleine devenait folle quand elle se retrouvait ainsi en rivalité avec le manque d'inspiration de l'homme qu'elle aimait. Elle tentait de l'aider par tous les moyens, se creusant la tête pour trouver un bon dialogue ou le début d'une action palpitante.

À plusieurs moments de leur histoire, Madeleine éprouva un étrange sentiment : celui qu'Yves utilisait les affres de la création comme un alibi pour ne pas la voir.

Yves était adorable et attentif, mais il ne voulait jamais partir en vacances, détestait l'idée d'un repas en famille, et pensait qu'un emménagement à deux marquerait la fin de leur idylle. Folle amoureuse, Madeleine acceptait les désirs de son artiste, tant qu'il lui offrait tous les gages de la réciprocité sentimentale. Car il n'y avait aucun doute sur ce point : Yves aimait Madeleine, d'un amour qui le surprenait, d'un amour qui le déstabilisait, et même d'un amour qui le contrariait.

Deux années passèrent ainsi et peut-être la troisième. Madeleine espérait, d'une manière de plus en plus vive, une vie à deux classique. Elle n'osait avouer qu'il lui arrivait de penser aux prénoms de leurs futurs enfants. Yves avait toujours esquivé ces conversations pragmatiques, mais un jour il annonça qu'il n'était pas contre l'idée d'un mariage. Ce n'était pas la déclaration la plus romantique qui soit, mais, connaissant la nature de son homme, Madeleine exulta. Tandis qu'il la serrait dans ses bras, il arrivait presque à se projeter. Oui, il pourrait avoir une vie comme tout le monde. Il évoquait tout le temps cette nécessité de solitude, mais était-il certain de posséder l'âme d'un artiste ? Ses idées de scénario n'aboutissaient pas, et ses collaborations demeuraient stériles. La réussite se cachait peut-être dans l'épanouissement conjugal. Bien sûr, il ne fallait pas écarter un autre élément : il voulait rendre heureuse Madeleine. Son cœur battait d'entendre le sien battre.

Pourtant, les choses se compliquèrent. À mesure que la date du mariage approchait, Yves pensait de plus en plus fréquemment : « Je ne peux pas, je ne peux pas. » Et ces mots, il finit par les dire à Madeleine. Elle tenta de le raisonner, de le convaincre, de le comprendre. Rien à faire. Elle était face à une attitude sans queue ni tête. À l'évidence, Yves n'était ni un pervers ni un joueur. Il souffrait de la faire souffrir. Et elle souffrait de lui imposer sa souffrance. Il y avait là comme un cercle vicieux de la souffrance amoureuse.

Sans aucune explication concrète, si ce n'est le sentiment d'un malaise diffus, et la folle nécessité de fuir, il décida de partir pour les États-Unis. Sans elle. En me racontant cet atroce dénouement, l'acmé de son désespoir, Madeleine commença à hoqueter. Le récit de sa dévastation possédait encore, des décennies plus tard, le goût inaltéré de la tragédie. Il faut imaginer cette jeune femme hébétée, amputée de sa raison d'être. Comme une folle, elle retournait tous les soirs dans le club de jazz, celui de leur rencontre ; et je comprends mieux maintenant pourquoi elle ne peut pas se souvenir du nom du lieu ; cela n'a rien à voir avec l'âge ou la maladie, c'est une bénédiction de l'amnésie que de nous faire oublier les bonheurs devenus malheurs.

Elle ne me l'a pas dit clairement, mais j'ai compris qu'elle avait alors tenté de mettre fin à ses jours. Il semble que personne n'ait été au courant ; elle n'a jamais pu en parler. Le témoin détaché que je suis délivre Madeleine de ce secret noir. Si elle a survécu, une partie d'elle est sans doute morte à cette époque. Les années ont passé, et la douleur est restée intense. La douleur et l'incompréhension. On peut devenir fou de ne pas savoir. Elle s'est dit qu'elle avait aimé une ombre (il faut toujours se méfier de la première apparition). Quelqu'un qui s'échappe dès qu'on s'approche de trop près. Avec un peu de lucidité, elle aurait compris que ce n'était pas elle qu'il fuyait, mais bien lui-même. Il n'est jamais anodin de partir vivre à l'autre bout du monde. C'est une façon de déserter la part géographique de ce que nous sommes. Yves n'avait probablement pas eu d'autre choix que de tout quitter ; pas d'autre choix que de rompre brutalement. Pour en finir avec cette zone d'indéfinition qui les faisait souffrir tous deux. Mais il était parti sans s'expliquer. Notre voyage permettrait enfin de terminer ce roman inachevé.

79

Quelques années plus tard, elle avait rencontré René. Et à défaut de passion, ce fut un choix de raison. Nous n'y reviendrons pas. Il avait tout de ce qu'on pourrait appeler *l'homme pansement*. Et puis, Madeleine voulait des enfants. Elle finit par me livrer cette anecdote : « J'avais la grippe quand René m'a demandée en mariage. J'étais épuisée, au fond de mon lit. J'avais envie de vomir tout le temps, et c'est à ce moment-là qu'il s'est mis à genoux pour faire sa demande[1]. J'ai trouvé que c'était la chose la plus romantique qu'il ait jamais faite. » Je partageais l'avis de Madeleine. C'est toujours charmant de nager à contre-courant. René n'avait cessé de me surprendre, et j'étais heureux à chaque fois qu'il réapparaissait dans mon livre.

1. C'était exactement ce qu'avait fait Alfred Hitchcock. René s'en était peut-être inspiré. Lors d'une traversée houleuse de l'Atlantique en bateau, Alma, sa future femme, se tordait de douleur. Le réalisateur en avait alors profité pour lui demander : « Voulez-vous m'épouser ? » Plus tard, il lui avait avoué : « Je me suis dit qu'il fallait que je vous surprenne quand vous seriez trop faible pour dire non. »

80

À ce moment précis, l'hôtesse s'est approchée pour nous demander si tout allait bien, ou si nous avions besoin de quelque chose. Elle finit par ajouter : « J'adore vos histoires des deux Polonais. Cela me fait tellement rire cette lubie que vous avez avec eux ! » Puis, elle repartit vers d'autres passagers. Madeleine voulut en savoir plus ; à vrai dire, cette irruption lui avait rappelé que je n'étais pas un de ses amis mais un écrivain en plein projet. Elle m'avoua ne pas connaître mon travail, et s'en voulait maintenant de n'avoir pas cherché à en savoir plus. Cela me convenait parfaitement. Il était préférable, je le crois, qu'elle ne sache rien de moi. Elle m'interrogea sur cette histoire de Polonais, et je lui en racontai alors la genèse.

Voici ce qui s'était passé : pendant des années, j'avais écrit par passion ou nécessité, sans penser qu'un jour je parviendrais à être publié. Les refus s'enchaînaient, et cela me paraissait finalement assez logique. Je ne voyais pas où me menait mon inspiration. Ce n'était pas vraiment un enjeu pour moi ; écrire serait le cœur d'une vie parallèle. Mais l'apparition des deux Polonais avait changé la donne. J'ai écrit leur histoire, et six mois après j'étais publié dans une prestigieuse maison d'édition. Que s'était-il passé ? J'avais le sentiment qu'ils m'avaient porté chance, qu'ils étaient responsables du basculement de mon destin. J'ai ainsi décidé que je n'écrirais plus jamais un livre sans que, à un moment ou un autre, apparaissent deux Polonais.

« Et dans votre livre sur moi, où vont-ils apparaître ? » demanda alors Madeleine. Voilà qui me laissait perplexe. Je n'y avais pas songé. Comme je n'écrivais pas une fiction, j'avais dû sacrifier mes Polonais cette fois-ci. Mais elle avait raison, ils devaient être là, comme toujours. J'avais envie de m'en occuper maintenant ; mais comment trouver deux Polonais en plein air ? Je n'allais tout de même pas demander à l'hôtesse de faire une annonce, comme on demande si un médecin est présent à bord en cas de malaise d'un passager. « Est-ce qu'il y aurait deux Polonais dans l'avion ? Si c'est le cas, veuillez contacter notre personnel. » J'ai fini par dire à Madeleine :

« Ça vous ennuie si j'écris qu'à côté de nous, il y a deux Polonais ? Personne n'ira vérifier.

— Non, je vous en prie.

— Parfait. »

Ainsi, nous avons volé vers Los Angeles à côté de deux Polonais. À un moment du voyage, je ne sais plus pour quelle raison, nous avons échangé quelques mots. C'était un duo de réalisateurs. Ils avaient étudié dans la fameuse école de cinéma de Łódź. Ils partaient pour Hollywood dans l'espoir de vendre un scénario. L'un des deux me dit en anglais : « C'est une histoire incroyable. Vraiment incroyable. Nous sommes sûrs que ça fera un film extraordinaire. » J'étais forcément intrigué, mais ils ne voulurent rien me dire. J'espère de tout cœur pour eux, à l'heure où j'écris ces lignes mythomanes, qu'ils ont réussi à faire lire leur scénario et qu'un grand réalisateur s'en est emparé.

81

Deux heures avant l'atterrissage, Madeleine s'est endormie. D'un sommeil si profond qu'aucune turbulence ne vint le gêner. J'ai eu peur qu'elle soit dans les vapes au moment du réveil obligatoire, mais elle reprit immédiatement ses esprits et admira la vue par le hublot. Si New York était une ville debout, Los Angeles se présentait allongée[1]. Le spectacle relevait de la magie.

Les formalités de la douane furent assez rapides. Les Américains ont un grand sens de la gestion de touristes ; ils agissent de manière similaire avec les files des parcs d'attractions. On finit par être déçu de se faire simplement tamponner le passeport, car on s'était laissé croire qu'une grande roue ou une maison hantée nous attendait en bout de queue. C'est le pays témoin du mélange entre le réel et le divertissement. Dans certains décors américains, on ne sait plus si l'on vit sa vie ou si quelqu'un va crier « Action ! ».

1. On pourrait même parler d'une ville sur un transat.

Nous avons pris un taxi pour rejoindre notre hôtel à Santa Monica. J'avais choisi cet endroit pour sa proximité avec l'océan, bien sûr, mais aussi parce que c'était dans ce quartier que nous devions retrouver Yves le lendemain matin. Notre hôtel était charmant, bien qu'un peu défraîchi. J'aurais aimé mettre en bande-son une chanson des Doors sur ce passage, mais la littérature est silencieuse.

Nous nous sommes installés dans nos chambres, et Madeleine a préféré se coucher tout de suite. Il était 18 heures, je voulais continuer de lutter contre le sommeil pour ne pas être trop décalé. J'ai opté pour une promenade ; l'air était si doux. Je n'en revenais pas de la rapidité avec laquelle nous avions effectué ce voyage. J'étais face à un immense soleil rouge qui plongeait dans le Pacifique, alors que j'avais encore le goût de Paris dans la bouche.

82

Un peu plus tard, j'étais allongé sur mon lit. Quelle jouissance d'être ainsi écrasé par la fatigue. Les insomniaques ne devraient faire que ça : vivre en décalage horaire. Au moment où mes paupières tombaient sur mes yeux, mon téléphone sonna. J'avais bien sûr laissé un message à Valérie pour lui dire que tout allait bien, mais je ne pensais pas qu'elle me rappellerait si tôt (il était 6 heures du matin en France).

Elle voulait tous les détails du voyage, l'hôtel, l'ambiance, mes discussions avec sa mère… Ce n'était pas du tout le bon moment. Quel supplice de devoir rester éveillé au moment précis où je m'effondrais. Mais j'étais tout de même rassuré qu'elle m'appelle enfin. Et j'allais surtout savoir ce qu'il s'était passé avec Patrick. Je n'avais cessé de penser à cette intrigue depuis deux jours. Comment avait réagi Desjoyaux en découvrant ses rideaux cramés ? Valérie me raconta qu'il était resté hébété. Plusieurs témoins confirmèrent qu'il n'avait pu prononcer un mot pendant plusieurs minutes. C'était bien plus qu'un saccage de décoration. Il y voyait une agression ultraviolente, presque une mise à mort.

Desjoyaux était parfaitement lucide quant à la nature perverse de ses agissements, mais jamais il n'aurait pu imaginer qu'un tel acte puisse se produire. Personne n'avait jamais riposté, ni même réagi à ses provocations. La peur de perdre leur emploi avait toujours poussé ses victimes à se taire et à se terrer. Cette fois, c'était différent. Il était tombé au pire moment de la vie d'un homme. À un moment où il n'avait plus d'autres choix que de réagir. Armé d'une nouvelle énergie, relevant la tête, Patrick avait bravé la peur des conséquences. Car il savait qu'il y en aurait. Desjoyaux ne pouvait pas douter une seule seconde du coupable : c'était Martin, ce ne pouvait être que Martin.

Il reprit enfin ses esprits, et convoqua l'employé qui avait osé le défier. Plusieurs minutes passèrent, mais Patrick n'apparut pas. Desjoyaux hurla à sa secrétaire de le rappeler (ce n'était pas du tout dans ses habitudes de perdre ses nerfs). Au bout du fil, elle entendit un homme lui dire : « S'il veut me parler, il n'a qu'à venir… » Odile, la secrétaire, demanda à Patrick de répéter. Et il réitéra le refrain de son audace : « S'il veut me parler, il n'a qu'à venir… » Odile lui dit qu'elle ne pouvait pas rapporter à son patron cette réponse kamikaze. Surtout que Desjoyaux était planté face à elle, attendant qu'on lui confirme l'arrivée imminente de son agresseur. Comme Martin avait raccroché, Odile n'eut d'autre solution que de dire ce qu'elle avait entendu. Mais aucun son ne sortit de sa bouche : certaines phrases ont si peur des réactions qu'elles vont provoquer qu'elles préfèrent s'annoncer silencieusement. Odile dut s'y reprendre à plusieurs fois avant qu'on puisse enfin discerner : « Il a dit que si vous voulez lui parler, c'est à vous d'aller le voir… » Elle baissa alors la tête exactement comme si elle était face à un homme pointant un revolver sur elle.

Desjoyaux finit par s'exécuter et partit à la recherche du bureau de Martin. Ne sachant pas où il était, et ne voulant s'adresser à personne, il marcha pendant près d'un kilomètre dans les couloirs de l'immeuble. Sur son passage, tout le monde le regardait, et il lui semblait entendre le mot « rideau » ici ou là dans des chuchotements pas vraiment discrets ; ou était-ce son imagination ? Quand on se sent coupable, notre esprit croit entendre les voix de la dénonciation. Il était un Raskolnikov du rideau. Enfin, il arriva dans le bureau de Martin. Ce dernier lui dit bonjour en premier, petite cerise sur le gâteau de sa rébellion. Desjoyaux, choqué, en sueur, hurla :

« Est-ce que vous vous rendez compte de ce que vous avez fait ??

— De quoi parlez-vous ?

— Vous le savez très bien. Cela ne peut être que vous. Les rideaux !

— Et pourquoi ?

— Parce qu'on en a parlé dans l'après-midi, et… Oh, et puis je n'ai pas à me justifier ! Je suis juste venu vous signifier votre licenciement pour faute grave. Très grave.

— Et mes clients ? Comment on va faire ?

— Je m'en fous, vous comprenez. On leur refilera quelqu'un d'autre. De toute façon, ils ne remarqueront même pas la différence. Tiens, il y a un autre Martin à la compta, je vais le mettre à votre place, ça changera rien pour les clients comme ça !

— Et je dois partir quand ?

— Mais maintenant espèce d'abruti. Maintenant !

— Vous trouvez ça normal de demander à un cadre qui est là depuis vingt ans ce qu'il pense de vos rideaux ? Vous lui dites d'un ton bien stressant trois jours avant que vous voulez le voir *impérativement*. Vous trouvez ça normal ?

— Je m'en fous ! Ce qui n'est pas normal, c'est de foutre le feu à mes rideaux ! Alors foutez-moi le camp maintenant !

— Très bien. Mais ce n'est que le début.

— Ça veut dire quoi ?! Vous me menacez, Martin ? Vous me menacez ??

— Ça ne veut rien dire. Vous l'entendez comme vous voulez.

— Espèce de dingue. Je repasse dans une heure. Je ne veux plus voir la moindre trace de votre présence ici. Et croyez-moi, vous pouvez aller vous gratter pour toucher un centime d'euro d'indemnité. J'espère juste qu'un jour je vous retrouverai allongé dans la rue, en train de mendier.

— Ce n'est pas dans mes projets. Mais merci de vous inquiéter de mon avenir. »

Desjoyaux resta un instant sidéré par l'inconscience de cet homme, puis il partit.

Tous les collègues de l'étage regardaient Patrick avec admiration. Ils n'en revenaient pas. Était-il le même homme ? Il se sentait en tout cas heureux d'être allé jusqu'au bout de sa détermination sans vaciller. Mais à quoi cela lui servirait-il maintenant ? Il allait rentrer chez lui à 10 heures du matin, en pleine semaine, avec deux cartons remplis des souvenirs de sa carrière. Seulement deux boîtes pour tant d'années. Pendant qu'il rangeait son bureau, on passait le voir pour saluer sa bravoure. Mais penseraient-ils encore à lui dans deux ou dix jours ? C'était peu probable. Son coup d'éclat avait été un soulagement collectif, mais n'aurait aucune répercussion. Cette aura fugitive était aussi une impasse. Qu'allait-il devenir ? Tout le monde se connaissait dans le milieu des assurances. Son licenciement pour faute grave se saurait forcément. Les gens font très vite des raccourcis. On dirait de lui : « C'est le mec qui a cramé les rideaux. » Peu importe les raisons, ce n'était pas très rassurant. On pensera : s'il était victime de harcèlement, il aurait dû porter plainte ; faut être un peu fou pour se faire justice de cette façon. Oui, cela lui paraissait évident : c'était lui qui était cramé. Sa femme serait fière de lui, bien sûr. Il pourrait voguer sur cette belle impression quelque temps, mais très vite il se fracasserait contre la réalité. Et le quotidien sinistre qui l'attendait. L'euphorie s'envolait à présent, et il commençait à regretter amèrement son geste. Il allait payer longtemps son saccage[1].

83

Finalement, la longue discussion avec Valérie m'a permis de repousser l'heure de mon coucher. Ce qui ne m'a pas empêché de me réveiller en pleine nuit. J'ai passé le temps en regardant la

1. Pour les lecteurs qui apprécient Patrick, et qui ont aimé sa folle bravoure, je peux vous rassurer dès maintenant. Les choses ne se passeront pas du tout comme il l'imagine.

télévision. Et notamment des rediffusions de jeux télévisés, avec des candidats qui hurlent sans cesse. Aux États-Unis, il faut impérativement être détenteur d'un diplôme d'hystérie pour pouvoir participer à un jeu. Quand je suis descendu, vers 6 heures du matin, Madeleine était déjà installée dans la salle du petit déjeuner. Elle aussi s'était réveillée très tôt. Nous avions rendez-vous à 9 heures, et les derniers moments paraissaient interminables. Sa fébrilité était palpable. Elle devait se demander si elle avait bien fait de venir. Étrangement, elle m'avoua penser à son mari. Elle avait presque l'impression de lui être infidèle. Tout se mélangeait dans sa tête.

J'ai proposé qu'on marche un peu le long de la plage pour se détendre. Le lever du soleil était célébré par une armée de joggeurs. Comment est-il humainement possible de faire du sport si tôt ? À Paris, à cette heure-ci, on croise plutôt des gens alcoolisés qui sortent de boîte. Ajouté aux heures confuses du décalage horaire, tout cela contribuait à rendre le moment un peu surréel. Madeleine me demanda subitement :

« Vous êtes sûr qu'il sera là ?

— Oui, je lui ai confirmé notre arrivée hier. Il nous attend.

— Et si ce n'est pas lui ? Mais quelqu'un qui lui ressemble.

— Non, ça serait trop improbable.

— Et si nous n'avons rien à nous dire ?

— Vous vous regarderez en silence.

— Et si on voit flou ?

— ... »

J'ai pensé que cette dernière question avait été un trait d'humour, mais pas du tout. Il y avait trop d'intensité en elle pour se laisser aller à une quelconque légèreté. Elle avait réellement peur de perdre ses moyens ; de ne pas savoir que dire ou de ne pas voir clair. Je la sentais de plus en plus figée, il me semblait même qu'elle avait la bouche pâteuse. Elle me faisait penser aux acteurs qui ont le trac avant de faire une prise ou d'entrer en scène. C'était le film de sa vie qui allait se dérouler sous mes yeux ; cette fiction qu'est tout amour.

C'était si intense que j'ai commencé à douter. Soudain, je craignais d'être un intrus. Je voulais écrire le réel, et non voler une telle intimité. Au-delà d'un certain seuil de beauté, on ne peut plus tolérer de témoin. Madeleine pourrait tout me raconter plus tard, si elle le désirait. Oui, c'était mieux ainsi. J'allais l'accompagner, et repartir. Était-ce si grave si mon livre n'offrait pas la description de cette scène ? Chacun pourrait se l'imaginer. Chacun pourrait créer son propre roman des retrouvailles. Au moment où je me laissais aller à cette évidence, Madeleine me prit la main et me dit : « Je veux que vous restiez. J'ai besoin de vous. »

Nous sommes arrivés avec une heure d'avance sur le lieu du rendez-vous, un grand café réparti en deux salles scindées par une baie vitrée. Yves était déjà là. Dommage : je ne pourrais pas écrire la scène de son apparition. J'ai trouvé aussitôt qu'il était follement élégant. Habillé d'un costume de lin, coiffé d'un grand chapeau, il ressemblait à un personnage de Fitzgerald. Il me remercia rapidement d'avoir organisé ces retrouvailles ; des mots fugitifs pour vite se concentrer sur l'essentiel. J'ai alors reculé de quelques pas pour les laisser vivre ce moment que je ne pourrais jamais oublier.

Depuis quelques jours, j'avais noué un lien particulier avec Madeleine. Nous étions unis par mon projet, et j'étais maintenant aux premières loges de son émotion. Cette femme et cet homme se regardaient sans trop y croire. Les yeux mouillés, mais le visage fendu d'un immense sourire. Pendant quelques secondes, ils n'ont pas réussi à se toucher. C'est ce qui m'a le plus ému, il me semble. De les voir ainsi, face à face, figés par la stupéfaction.

Ils finirent par s'embrasser chaleureusement et échanger quelques mots de politesse. Yves s'inquiéta de savoir si le voyage n'avait pas été trop fatigant, et Madeleine le rassura. Elle serait sûrement épuisée plus tard, mais pour le moment l'adrénaline annihilait tout. Ils se sont alors tournés vers moi, comme des enfants avec un adulte dont ils attendent une indication. C'était leur histoire. J'ai fait signe que j'allais m'asseoir juste à côté. On aurait dit qu'Yves avait choisi exprès cet endroit pour moi. Je pouvais m'installer dans la véranda, de l'autre côté de la baie vitrée, et les observer sans les déranger.

85

Si incroyable que cela puisse paraître, Marie m'a envoyé un message au moment précis où je m'installais. C'était comme si elle posait son regard bienveillant sur ce que j'étais en train de vivre. Elle se manifestait à l'instant où j'étais face à l'image d'un amour de toujours. Fallait-il y voir un signe ? Forcément. Je ne pouvais y voir qu'un écho des cœurs.

Marie demandait simplement comment j'allais. Je lui ai raconté ce que j'étais en train de vivre. « C'est incroyable ton histoire. J'aurais adoré prendre en photo le moment des retrouvailles entre ces deux personnes… », répondit-elle avec enthousiasme. Je ne l'ai pas précisé avant mais Marie est photographe. C'est d'ailleurs lors d'une de ses expositions que nous nous étions rencontrés. Je ne voulais pas parler de moi dans ce roman, mais ai-je vraiment le choix maintenant ?

Je n'avais aucune envie d'aller à ce vernissage. C'est toujours ainsi qu'on fait des rencontres :

quand on ne veut pas sortir. J'avais accompagné un réalisateur dont j'espérais qu'il adapte un de mes romans. Quand il m'a proposé de le suivre dans cette galerie, je me suis dit que cela aiderait à nouer une relation bénéfique pour notre future collaboration. Mais rien ne s'est passé comme je l'espérais. Dès notre arrivée, il a été happé par d'autres connaissances, et je l'ai perdu de vue. L'endroit était composé de nombreuses petites pièces et offrait le sentiment de passer d'un cocon à l'autre. Vu la situation, je pensais faire un tour rapide des photos par politesse et rentrer chez moi. Je ne savais pas qui était l'artiste exposée, et peu m'importait. Je n'avais jamais beaucoup estimé la photographie en tant qu'art (Marie allait me faire changer d'avis, naturellement), et j'ai déambulé entre les cadres d'une manière un peu nonchalante.

Quelque chose d'étrange s'est produit progressivement. Photo après photo, je me suis senti de plus en plus happé par le travail de l'artiste. À un moment, je suis resté figé devant un cliché. C'était un cadre dans lequel était écrit le mot : « Oui ». Sans pouvoir m'expliquer pourquoi, j'en étais bouleversé. Peut-être ai-je été troublé par la pure expression de la simplicité ? Je suis resté un moment à lire et relire le oui, jusqu'au moment où une voix s'est fait entendre dans mon dos : « Votre présence est une belle surprise. » Je me suis alors retourné pour découvrir Marie. Avant que je puisse lui répondre, elle a enchaîné en disant qu'elle avait beaucoup aimé un de mes romans. La première impression que j'eus d'elle correspondait à la version humaine du « oui ». Je l'ai trouvée heureuse et radieuse ; bien loin de l'image de l'artiste anxieux pendant son vernissage. Je lui en fis la remarque, ce à quoi elle répondit : « Oh, il n'y a aucun enjeu ce soir ! Tout le monde va me dire que mon travail est formidable ! Même vous… j'imagine que vous avez aimé ? » Il était difficile de mesurer le degré d'ironie qu'elle mettait dans ses mots, mais j'ai adoré sa façon de ne pas se prendre au sérieux. Alors j'ai répondu à sa question en désignant sa photo du doigt.

Oui.

Oui, j'aimais son travail. Et oui, je voulais revoir cette femme. C'était une évidence. Alors que je n'étais pas habituellement l'homme le plus entreprenant du monde, je lui ai demandé si elle était libre un soir prochain pour que nous puissions boire un verre ensemble. Elle m'a regardé sans rien dire, puis a levé son doigt à son tour en direction du oui.

86

Lors du dernier échange que j'avais eu avec Marie, nous avions juste évoqué l'idée de nous revoir. Nous n'avions pas vraiment parlé de nos vies. Elle m'écrivit que sa nouvelle exposition commençait dans deux jours, et qu'elle espérait ma présence. Dans deux jours, ai-je répété mentalement. J'étais arrivé la veille à Los Angeles, et cela me ferait repartir dès le lendemain. C'était absurde de faire un si long voyage pour un séjour si court. Et je ne pouvais pas laisser Madeleine ici toute seule. Sans oublier que j'avais mon roman à écrire sur elle. Ces informations se mêlèrent dans mon cerveau, semant une confusion passagère. Il ne me fallut pas bien longtemps pour répondre que cela tombait parfaitement, car je rentrais demain, et que je serais plus qu'heureux d'être à ses côtés en ce grand jour pour la soutenir.

Je venais de prendre ma décision, et mon cœur battait de cette décision, tandis que je continuais à observer Yves et Madeleine. Ils étaient plongés dans une conversation intense. Madeleine semblait troublée par ce qu'elle entendait, et leurs visages me parurent même un peu crispés ; je n'avais aucune idée de ce qu'il pouvait lui dire. Deux ou trois fois, elle a tourné la tête vers moi, pour vérifier que j'étais toujours là. Je lui ai adressé un signe amical en retour. Comme leur échange durait, je me suis mis à lire *USA Today*. J'ai regretté de ne pas avoir pris mon ordinateur avec moi pour écrire un peu en attendant.

*

On retient peut-être d'un homme sa dernière image. Quand on pense à Lagerfeld, on voit immédiatement cet homme fin, longiligne. Une apparence parfaite pour devenir un croquis. On oublie que le créateur a été pendant quelques années en surpoids. Il est étrange, d'ailleurs, de revoir des images de cette époque. Au vu de ce qu'il dégage (un contrôle absolu de lui-même, où rien ne semble dépasser, pas même une humeur non maîtrisée), on a plutôt du mal à imaginer que cet homme-là a mené un combat contre son poids. Au point d'avoir prononcé ce magnifique aphorisme : « Le régime est le seul jeu où l'on gagne quand on perd. » Il y avait donc vu un jeu, mais qui étaient les joueurs ? Selon ce que m'avait dévoilé Madeleine de sa personnalité, j'ai plutôt le sentiment que cela avait été un spectacle qu'il offrait à la cour des commentateurs. Ainsi, d'une manière spectaculaire, il perdit 42 kilos en quelques mois. Avec lui, tout était affaire de légende. Il ne pouvait pas se permettre la moindre médiocrité. On aurait dit qu'il avait travaillé son régime comme l'une de ses créations. Il fallait que tout le monde en parle. Je n'étais même pas loin de penser qu'il avait pris du poids uniquement pour s'amuser du regard que porterait chacun sur son amaigrissement. Il en a même écrit un livre après. Génie du marketing, il a fait de son corps une image *bankable*. N'a-t-il pas fini par dessiner sa silhouette sur les canettes de Coca-Cola ? C'est ce qui est fascinant chez Lagerfeld : il a été lui-même sa plus grande création.

*

Enfin, ils me firent signe de les rejoindre. Yves me cueillit immédiatement :

« Alors comme ça vous êtes le biographe de Madeleine !

— Oui. J'écris sur elle.

— Il y a tant de choses à dire, j'imagine. Et si vous avez besoin de moi, je peux vous raconter quelques bonnes anecdotes.

— Non, tu peux garder ça pour toi, dit Madeleine sans parvenir à sourire ; sûrement avait-elle été marquée par la teneur de leur échange.

— J'ai proposé qu'on aille déjeuner chez moi, reprit Yves. Mais Madeleine a envie de se reposer. Ce que je comprends parfaitement. Vous pouvez passer plus tard. Mon appartement est à côté. Il n'est pas très grand, mais j'ai une belle vue.

— Oui, faisons ça. On repasse à l'hôtel, et je vous téléphone tout à l'heure », dis-je, en véritable animateur de voyage organisé.

Ils se sont étreints avec intensité, comme s'ils avaient peur de ne pas se voir à nouveau pendant cinquante ans. J'ai proposé qu'on prenne un taxi, mais Madeleine avait envie de marcher un peu. Je brûlais de l'interroger, bien sûr, mais j'ai senti que ce n'était pas le moment. D'habitude si bavarde, elle était silencieuse. Juste avant de la laisser devant sa chambre, je dus l'informer que j'allais changer mon billet de retour pour rentrer dès le lendemain. Elle me demanda aussitôt si j'avais des soucis. J'évoquai alors, et sans la moindre intonation dramatique, une affaire urgente à régler. Elle respecta mon envie apparente de ne pas vouloir en dire davantage, et ne parut pas du tout inquiète à l'idée de rester seule ici quelques jours. Il était évident qu'Yves s'occuperait d'elle ; et les choses seraient même mieux ainsi, sans le chaperon littéraire que j'étais.

87

Une fois dans ma chambre, je me suis reposé un peu. À mon réveil, nous étions au cœur de l'après-midi, et donc très tard en France. J'ai appelé Valérie pour la tenir au courant. Pour la première fois, elle s'est montrée furieuse. Je l'ai rassurée en lui disant que tout allait pour le mieux, et qu'Yves était absolument charmant. Mais selon elle, mon attitude était irresponsable : emmener sa mère à l'autre bout du monde et l'y laisser seule. En plus, c'était une femme malade. Ce à quoi je me suis permis de réagir ; je n'avais jamais vu Madeleine en état de faiblesse. Bien au contraire, je l'avais toujours trouvée vive d'esprit et dynamique. Valérie continuait de m'invectiver : « Vous laissez seule ma mère là-bas ! » Il m'a alors semblé percevoir la voix de Patrick. Valérie lui demanda de répéter ce qu'il venait de dire, et je pus entendre : « On n'a qu'à y aller, nous… » Les vacances scolaires commençaient le lendemain, et lui était au chômage. Il y avait si longtemps qu'ils n'étaient pas partis tous les deux. Et en allant chercher Madeleine, ils se retrouveraient encore un peu plus. Valérie se calma en songeant à cette possibilité ; après tout, l'annonce de mon départ anticipé était peut-être un signe. Ils pourraient essayer de trouver un vol samedi ; ils avaient quelques économies ; c'était le moment d'en profiter. Et les enfants étaient grands, ils seraient ravis d'être tranquilles à la maison.

Valérie m'envoya un message dix minutes plus tard, pour m'annoncer qu'ils avaient trouvé des billets pour dimanche. Je pouvais prévenir Madeleine, qui serait probablement surprise par la tournure que prenaient les événements. Mais il y avait déjà eu tellement d'épisodes improbables depuis quelques jours. Ce serait sûrement émouvant pour Valérie de rencontrer le premier amour de sa mère. Elle y verrait peut-être comme moi une version réussie de *Sur la route de Madison*. Une passion, une séparation, une frustration, mais des retrouvailles à la fin. Dans la véranda, derrière la grande baie vitrée qui aurait pu être un écran, je m'étais dit ce matin que Meryl Streep avait retrouvé Clint Eastwood.

J'ai proposé de passer les voir le samedi dès mon arrivée à Paris, pour leur raconter les détails de l'histoire. C'était mon alibi pour rencontrer toute la famille Martin, sans doute pour la dernière fois. J'avais insisté auprès de Valérie pour que les enfants soient présents, mais je doutais que Lola accepte de me voir. Je lui avais envoyé une photo de sa grand-mère devant le Pacifique (un nom symbolique pour se réconcilier) mais elle ne m'avait pas répondu. J'étais probablement plus doué avec les personnes âgées. Cela venait d'un sentiment que j'avais toujours éprouvé : celui d'être né vieux. À vrai dire, c'était davantage qu'un sentiment, puisque la vie m'en avait fourni la preuve : adolescent, j'ai été atteint d'une maladie cardiaque qui n'advient généralement qu'au troisième ou au quatrième âge. On m'avait observé, décortiqué, tel un spécimen médical rarissime. Il faut croire que la vieillesse coule dans mes veines. Mais c'est un autre roman.

88

En fin d'après-midi, Madeleine fit sonner le téléphone de ma chambre. Elle m'attendait à la réception. Je la rejoignis immédiatement. Avant même d'évoquer sa discussion avec Yves, je lui ai annoncé que sa fille arriverait dimanche. Elle rétorqua aussitôt : « J'aurais très bien pu rester seule. » Cela l'avait vexée, me semble-t-il, qu'on organise une sorte de relais qui la renvoyait à une condition d'assistée. « Patrick et Valérie ont profité de l'occasion», ai-je expliqué. «Ah bon? Il vient aussi?» réagit-elle, surprise. Depuis longtemps, elle ne les voyait plus ensemble. À part aux anniversaires. J'ai évité de raconter la crémation des rideaux et le licenciement. Madeleine avait déjà assez vécu de péripéties au cours des dernières heures.

Nous avons quitté l'hôtel pour nous promener un peu, en quête d'un banc face à l'océan.

«J'ai prévenu Yves qu'on se verrait plutôt demain matin, commença-t-elle.

— Très bien.

— Avec le décalage, je n'ai pas les idées très claires. Et j'avais sûrement besoin de digérer tout ce que nous nous sommes dit.

— Vous voulez m'en parler?

— Oui, je vais vous raconter.»

Elle laissa pourtant s'installer le silence après cette dernière phrase, attendant que nous trouvions l'endroit idéal pour les confidences.

Quelques minutes plus tard, nous étions assis. Elle commença alors le récit de ce qu'elle avait appris. D'emblée, elle me dit: «Il est homosexuel.» J'ai marqué un temps d'arrêt; cette hypothèse m'avait traversé l'esprit. Elle paraissait évidente à présent. Madeleine répéta plusieurs fois qu'elle avait manqué de lucidité. Peut-être était-ce l'époque? Le fait qu'elle ne connaissait pas grand-chose à la vie? Et puis, cela n'avait jamais été évoqué avec Yves. Leur vie sexuelle lui paraissait on ne peut plus satisfaisante, mais elle n'avait aucun moyen de comparer, ou de comprendre un homme. C'était donc ça, son mal-être. Il était heureux avec Madeleine, mais il sentait bien à quel point il évoluait dans un mensonge vis-à-vis de lui-même.

Yves avait tout raconté, le plus sincèrement possible, au risque de se montrer abrupt. Il aurait tout de même pu éviter de lui dire que pendant leur histoire il avait eu des rapports avec des hommes. Bien souvent, des hommes mariés et pères de famille. Comme eux, il avait pensé pouvoir s'accommoder d'une double vie. D'autant qu'il éprouvait des sentiments profonds pour Madeleine. Il aurait pu mener une vie maritale classique, et vivre en parallèle sa vie sexuelle. Voilà pourquoi il avait accepté l'idée du mariage. Mais quelque chose l'avait retenu de poursuivre dans cette voie. Il ne pouvait pas se mentir autant, et trahir la femme qu'il aimait. Plusieurs fois, il avait tenté de lui parler, mais les mots refusaient de sortir de sa bouche. À la fin de leur histoire, il en était tombé malade. Madeleine avait oublié cet épisode, ayant plongé toute cette époque dans un brouillard à fuir. Mais Yves avait passé plusieurs semaines alité, avec une fièvre qui ne cédait pas. Son corps souffrait de ce qu'il ne pouvait pas dire.

Il lui fallait fuir. Bien sûr, il se doutait que Madeleine serait anéantie, tout comme il l'était aussi. Et il savait à quel point il était horrible de sa part de la laisser dans une telle incompréhension. Mais l'aveu demeurait irrémédiablement en lui. Il craignait qu'elle ne considère, après sa révélation, leur amour comme une mascarade. En se taisant, il ne piétinait pas leur beauté, espérait-il. Mais il avait fait bien pire en la laissant ainsi dans la sidération du silence. Il avait créé chez elle un malaise qui irait jusqu'à lui donner envie de mourir. Il s'en rendait bien compte maintenant ; et il la suppliait de comprendre à quel point il n'avait pu faire autrement. Ils s'étaient alors étreints, avant de me faire signe de les rejoindre.

J'étais bouleversé par le ton calme de Madeleine. Elle était heureuse de pouvoir enfin mettre des mots sur l'abandon qui l'avait hantée toute sa vie. Yves avait voulu tout lui raconter quand il était revenu à Paris, des années plus tard, mais elle avait refusé de le voir. Ils avaient manqué cette explication. Madeleine avait besoin d'un peu de temps pour digérer ce nouvel éclairage sur son passé, mais il était évident qu'ils étaient heureux de se retrouver ; heureux et stupéfaits de la tournure qu'avait prise le destin.

89

Je peux le dire maintenant : Madeleine allait rester un mois entier à Los Angeles. Et la séparation serait de courte durée, car Yves lui rendrait visite l'été suivant à Paris. Nous dînerions ensemble tous les trois. Ils continueraient à me raconter des épisodes de leur passé, mais j'aurais fini d'écrire mon roman. Madeleine perdrait peut-être progressivement la mémoire, mais jusqu'à présent, je la trouvais pleine de lucidité et d'élan. Et si cette aventure avait réveillé chez elle *la part manquante de sa mémoire* ? On pourrait parler d'un certain pouvoir de la littérature aussi. Je ne sais pas. Tout ce que je sais, c'est qu'Yves, au cœur de notre dîner, lui avait déclaré qu'elle avait été le grand amour de sa vie.

90

Pour l'instant, c'était le petit matin, et je venais d'atterrir à Paris. J'ai pris un taxi pour rejoindre le domicile des Martin. Je n'avais aucune idée de ce qui allait se passer, et de qui m'accueillerait. Je fus étonné de découvrir la famille au grand complet, m'attendant attablée pour le petit déjeuner.

À ma grande surprise, c'est Jérémie qui parla en premier : « Depuis que vous êtes entré dans notre famille, mes parents s'aiment à nouveau, ma sœur est en dépression, ma grand-mère est à Los Angeles, et moi je suis devenu populaire. C'est quoi votre projet exactement ? » Cette interrogation finale ressemblait à celle de Lola, mais en beaucoup moins agressive. Et je ne crois pas qu'elle appelait une réponse ; on était davantage dans la constatation. Malgré tout, je ne comprenais pas son histoire de popularité. « Je n'en reviens pas... », reprit-il en me montrant son téléphone. Je pus alors voir une vidéo de lui, relayée déjà plus de 100 000 fois. Oui, j'avais bien vu le chiffre. Et Valérie confirma : « C'est complètement fou... »

Voici ce qui se passait. Le jour de son licenciement, Patrick avait raconté à ses enfants ce qui s'était produit. Une sorte de réunion familiale de crise. Il avait détaillé les humiliations endurées et la violence psychologique qu'il subissait dans son travail. Même si tout cela avait été esquissé lors de notre premier dîner tous ensemble, Jérémie et Lola eurent enfin le sentiment de comprendre l'attitude de plus en plus renfermée de leur père. Cela leur faisait du bien à tous de mettre des mots sur une situation confuse. Patrick, tout à sa nouvelle énergie libérée, n'hésita pas à raconter l'épisode des rideaux, sous le regard ahuri de ses enfants qui considérèrent cet acte comme du pur héroïsme. Peu importait les conséquences. Si Patrick avait perdu son travail, il avait gagné la totale admiration de ses enfants.

Une heure plus tard, Jérémie posta une vidéo sur les réseaux sociaux en disant à quel point il était fier de son père qui s'était soulevé contre le harcèlement. Ajoutant à son post deux hashtags : #JeSuisPatrickMartin et #BalanceTonPatron. C'était en quelque sorte la version salariale du #MeToo. Très rapidement, la vidéo fut relayée de nombreuses fois, pour atteindre des scores impressionnants. Des multitudes de témoignages de salariés commencèrent à affluer. Tous évoquaient les violences subies dans le cadre professionnel. Se sentant unis, ils trouvaient le courage de tout raconter ; une fois médiatisés, ils risquaient beaucoup moins. C'était la libération de la parole des employés.

En moins de deux jours, on pouvait déjà parler de phénomène. Plusieurs journalistes tentaient de contacter l'adolescent à l'origine du mouvement, ainsi que son père. Et cela ne s'arrêterait pas là. Le mouvement prendrait tellement d'ampleur que la compagnie d'assurances n'aurait d'autre choix que de réintégrer Patrick ; et de virer Desjoyaux, bien sûr. La modernité et ses médias pouvaient donc avoir du bon. Mais il y eut une conséquence : la notoriété d'une histoire fait aussi qu'elle vous colle à la peau. Pendant des années, quand Patrick se déplacerait chez un client, on lui demanderait systématiquement avec un petit sourire : « Et nos rideaux ? Vous en pensez quoi ? »

91

Tout en ayant accepté d'être présente, Lola évitait de me regarder. Mais je la sentais bien moins agressive. Son ressentiment à mon égard s'estompait. Elle admettait que je n'étais pas responsable du revirement de Clément. Et puis, ses doutes étaient justifiés. Il était aussitôt sorti avec une autre fille. Lola m'avait envoyé sur un terrain explosif, tentant de déminer l'adolescent le moins fiable qui soit. Non seulement cette histoire n'avait pas été palpitante, mais cela m'attristait de constater qu'elle restait le seul lien de Lola avec mon roman. Elle demeurait mon grand regret. Mais peut-être que je reviendrais un jour pour écrire à nouveau sur les Martin, et elle serait alors ma priorité. Qu'allait-elle devenir ? Tout avenir est un roman à écrire.

92

Il était temps de se quitter. Je pouvais bien sûr continuer à les suivre, mais je n'aime pas les livres qui excèdent les 300 pages. C'était une raison suffisante pour marquer une pause dans nos relations. On se quitta de manière plutôt chaleureuse, et finalement tous me dirent merci. Sur le palier, je fis demi-tour. Je voulais immortaliser ce moment avec une photo. Ils se plièrent gentiment à ma dernière volonté. Tous les quatre assis sur le canapé du salon, tentant de sourire de manière naturelle, j'observais mes héros.

LA FAMILLE MARTIN.

ÉPILOGUE

1

J'ai tenté de dormir un peu dans l'après-midi pour être frais, mais en vain. L'excitation empêchait toute possibilité de relâcher ma conscience. J'allais revoir Marie, et le contexte du vernissage était idéal. Il renvoyait à notre rencontre, dans un écho bouleversant. Et une rondeur absolue.

2

J'avais essayé de récupérer des informations sur sa nouvelle exposition, mais rien ne filtrait sur Internet. Pendant des années, nous avions tout partagé; elle savait tout du cheminement de mes romans, et j'observais avec effervescence la naissance de ses projets. J'aimais l'idée que nous vivions des vies parallèles de création, sans être pour autant sur le même terrain. Elle les images, moi les mots. Il y avait là comme une complémentarité artistique. J'admirais sa capacité à se renouveler, à chercher sans cesse de nouvelles idées. Sa vivacité me manquait tellement.

L'invitation à son vernissage était un signe hautement positif. Elle avait précisé : « Cela me ferait plaisir que tu sois là. » C'est un événement si important pour elle ; malgré la séparation, il y a des moments qu'on ne peut pas vivre l'un sans l'autre.

J'étais soulagé que nos retrouvailles aient lieu dans ce contexte. Je crois que cela aurait été intimidant de se retrouver, après tant de temps, dans un café tous les deux. Assis, il faut être beaucoup plus performant que debout. Et puis, quel horaire aurions-nous choisi ? Un déjeuner, c'était très froid, je trouve. Un café l'après-midi, encore pire. Un verre en fin de journée, c'était très bien, mais moins engageant qu'un dîner. En me conviant à son vernissage, on évitait cette problématique de l'horaire. On allait directement au plaisir de se revoir. Mais j'éprouvais une telle inquiétude à l'idée de ce qui allait se passer. Jamais je n'avais ressenti cette impression d'avoir rendez-vous pour la première fois avec une femme dont j'étais déjà amoureux.

3

Quand je suis arrivé, il y avait beaucoup de monde. Je suis resté un instant de l'autre côté de la rue, à observer la grande galerie à travers la vitre. J'attendais qu'elle surgisse du cœur de la foule des invités. Ce fut le cas au bout de plusieurs minutes ; son visage apparut entre deux épaules. Tout le monde lui parlait, l'accaparait, mais j'espérais qu'elle m'attendait. C'était si intense de la revoir, de la savoir toute proche, et mon émotion se superposait à l'image d'Yves et Madeleine derrière la baie vitrée. J'étais à nouveau dans la position du spectateur, mais cette fois-ci je devais entrer dans le film. J'avais mon rôle à jouer.

4

Une fois à l'intérieur, j'ai déambulé entre les photos. La tonalité de son travail était encore plus joyeuse qu'à l'habitude. Et pour cause : son exposition s'intitulait « Le Bonheur ». Elle avait essayé de capter des instants de joie ici ou là. L'une des photos représentait une famille de quatre personnes tout sourire sur le canapé de leur salon ; je ne pus que penser au cliché que je venais de prendre des Martin. Il y avait à nouveau un écho entre l'art et la vie.

Au bout d'un moment, j'ai enfin pu mc frayer un chemin vers Marie. Nous nous sommes embrassés chaleureusement, même si l'idée de lui faire la bise m'avait complètement refroidi. Notre conversation a été immédiate et fluide, et elle m'a dit à nouveau à quel point ma présence lui faisait plaisir. J'ai pu la féliciter, mais très vite elle a été happée par d'autres. Tout juste eut-elle le temps de me demander : « Tu restes un peu ? » J'ai fait signe que oui. Je resterais un peu, et sûrement plus encore.

Oui, plus encore. C'était si intense de la revoir. J'avais réussi à paraître détendu, à cacher les légers tremblements de mon corps. Je ne pouvais plus me mentir : depuis des mois, je n'avais cessé d'espérer et d'inventer ce moment. Le roman de nos retrouvailles était la seule entorse à mon manque d'imagination. Il m'arrivait d'avoir de longues conversations fantasmées avec Marie. Et voilà qu'elle était, là, maintenant, à quelques mètres de moi. Si elle me laissait revenir près d'elle, qu'allions-nous faire ? Je rêvais que nous puissions repartir en voyage. Peu importait la destination. Tout serait différent à présent. En me confrontant aux Martin, j'avais compris davantage la mesure du temps qui passe, et l'urgence de l'essentiel. J'avais compris que la vie demeure le plus puissant des antidotes à la fiction. Je voulais prendre la main de Marie, et simplement éprouver le réel.

5

Une heure plus tard, il y avait un peu moins de monde dans les différentes salles de la galerie. J'étais face à une photo quand j'entendis la voix de Marie dans mon dos. Exactement comme notre première fois. J'ai tellement aimé ce parallèle que je me suis retourné lentement. Mais je découvris alors un homme à ses côtés :

« Ça te plaît toujours ?

— Oui… oui…

— Je voulais te présenter Marc.

— Bonsoir…

— Bonsoir… »

Nous nous sommes serré la main, et Marc a prétexté un appel à passer pour nous laisser seuls.

« C'est qui ? ai-je demandé.

— Je ne voulais pas te le dire par message, mais j'ai rencontré Marc il y a quelques mois.

— Tu es heureuse ? ai-je réussi à articuler.

— Oui. Nous avons emménagé ensemble.

— Déjà ?

— Tout est allé très vite, et…

— Et quoi ? Tu es enceinte ?

— Oui.

— …

— Je ne savais pas comment te l'annoncer.

— Je comprends mieux maintenant cette série sur "le bonheur".

— Peut-être.

— Félicitations. Je te souhaite beaucoup de bonheur, dis-je en tentant de masquer tant bien que mal mon véritable sentiment.

— En tout cas, cela me fait vraiment plaisir que tu sois venu.

— Je t'en prie. Je ne pouvais pas manquer ça. Mais je dois y aller maintenant…

— Tu ne veux pas rester boire un verre?

— Non, je suis épuisé avec le décalage.

— Ah oui… ton histoire de grand-mère, j'ai hâte que tu me racontes ça. »

Nous nous sommes alors embrassés, et j'ai quitté la galerie.

Une fois dehors, j'ai lu une dernière fois le titre de l'exposition :

LE BONHEUR

6

J'aurais préféré finir mon livre autrement, mais c'est ainsi. Je me suis senti ridicule d'avoir pu y croire. J'ai marché dans la nuit pour rentrer chez moi, et j'ai pensé un instant à appeler Valérie pour lui raconter ma mésaventure. Mais il n'y avait pas grand-chose à dire. J'avais écrit un roman dans ma tête. Marie et moi, nous avions échangé de simples messages amicaux, et elle m'avait dit que cela lui ferait plaisir que je vienne ce soir. C'était tout. C'était doux. Et moi, j'avais brodé une nouvelle histoire entre nous. Au fond, c'était peut-être le signe que j'étais capable de renouer avec la fiction.

FIN

DU MÊME AUTEUR

Aux Éditions Gallimard

INVERSION DE L'IDIOTIE

ENTRE LES OREILLES

LE POTENTIEL ÉROTIQUE DE MA FEMME (Folio nº 4248)

QUI SE SOUVIENT DE DAVID FOENKINOS ?

NOS SÉPARATIONS (Folio nº 5425)

LA DÉLICATESSE (Folio nº 5177)

LES SOUVENIRS (Folio nº 5513)

JE VAIS MIEUX (Folio nº 5785)

CHARLOTTE (Folio nº 6135). Prix Renaudot et Goncourt des lycéens 2014

LE MYSTÈRE HENRI PICK (Folio nº 6403)

VERS LA BEAUTÉ (Folio nº 6640)

DEUX SŒURS (Folio nº 6800)

LA FAMILLE MARTIN (Folio nº 7016)

Dans la collection « Livre d'Art »

CHARLOTTE, avec des gouaches de Charlotte Salomon (Folio nº 6217)

Aux Éditions Flammarion

EN CAS DE BONHEUR (J'ai Lu nº 8257)

CÉLIBATAIRES, théâtre

LA TÊTE DE L'EMPLOI (J'ai Lu nº 11534)

LE PLUS BEAU JOUR, théâtre

Aux Éditions Grasset

LES CŒURS AUTONOMES (Le Livre de Poche nº 32650)

Aux Éditions Plon

LENNON (J'ai Lu nº 9848)

Aux Éditions Albin Michel Jeunesse

LE PETIT GARÇON QUI DISAIT TOUJOURS NON, en collaboration avec Soledad Bravi

LE SAULE PLEUREUR DE BONNE HUMEUR, en collaboration avec Soledad Bravi

COLLECTION FOLIO

Dernières parutions

6646. Philip Roth	*Pourquoi écrire ? Du côté de Portnoy – Parlons travail – Explications*
6647. Martin Winckler	*Les Histoires de Franz*
6648. Julie Wolkenstein	*Les vacances*
6649. Naomi Wood	*Mrs Hemingway*
6650. Collectif	*Tous végétariens ! D'Ovide à Ginsberg, petit précis de littérature végétarienne*
6651. Hans Fallada	*Voyous, truands et autres voleurs*
6652. Marina Tsvétaïéva	*La tempête de neige – Une aventure*
6653. Émile Zola	*Le Paradis des chats*
6654. Antoine Hamilton	*Mémoires du comte de Gramont*
6655. Joël Baqué	*La fonte des glaces*
6656. Paul-Henry Bizon	*La louve*
6657. Geneviève Damas	*Patricia*
6658. Marie Darrieussecq	*Notre vie dans les forêts*
6659. Étienne de Montety	*L'amant noir*
6660. Franz-Olivier Giesbert	*Belle d'amour*
6661. Jens Christian Grøndahl	*Quelle n'est pas ma joie*
6662. Thomas Gunzig	*La vie sauvage*
6663. Fabrice Humbert	*Comment vivre en héros ?*
6664. Angela Huth	*Valse-hésitation*
6665. Claudio Magris	*Classé sans suite*
6666. János Székely	*L'enfant du Danube*
6667. Mario Vargas Llosa	*Aux Cinq Rues, Lima*
6668. Alexandre Dumas	*Les Quarante-Cinq*
6669. Jean-Philippe Blondel	*La mise à nu*

6670. Ryôkan	*Ô pruniers en fleur*
6671. Philippe Djian	*À l'aube*
6672. Régis Jauffret	*Microfictions II. 2018*
6673. Maylis de Kerangal	*Un chemin de tables*
6674. Ludmila Oulitskaïa	*L'échelle de Jacob*
6675. Marc Pautrel	*La vie princière*
6676. Jean-Christophe Rufin	*Le suspendu de Conakry. Les énigmes d'Aurel le Consul*
6677. Isabelle Sorente	*180 jours*
6678. Victor Hugo	*Les Contemplations*
6679. Michel de Montaigne	*Des Cannibales / Des coches*
6680. Christian Bobin	*Un bruit de balançoire*
6681. Élisabeth de Fontenay et Alain Finkielkraut	*En terrain miné*
6682. Philippe Forest	*L'oubli*
6683. Nicola Lagioia	*La Féroce*
6684. Javier Marías	*Si rude soit le début*
6685. Javier Marías	*Mauvaise nature.* Nouvelles complètes
6686. Patrick Modiano	*Souvenirs dormants*
6687. Arto Paasilinna	*Un éléphant, ça danse énormément*
6688. Guillaume Poix	*Les fils conducteurs*
6689. Éric Reinhardt	*La chambre des époux*
6690. Éric Reinhardt	*Cendrillon*
6691. Jean-Marie Rouart	*La vérité sur la comtesse Berdaiev*
6692. Jón Kalman Stefánsson	*Ásta*
6693. Corinne Atlan	*Petit éloge des brumes*
6694. Ludmila Oulitskaïa	*La soupe d'orge perlé* et autres nouvelles
6695. Stefan Zweig	*Les Deux Sœurs* précédé d'*Une histoire au crépuscule*
6696. Ésope	*Fables* précédées de la *Vie d'Ésope*
6697. Jack London	*L'Appel de la forêt*

6698. Pierre Assouline — *Retour à Séfarad*
6699. Nathalie Azoulai — *Les spectateurs*
6700. Arno Bertina — *Des châteaux qui brûlent*
6701. Pierre Bordage — *Tout sur le zéro*
6702. Catherine Cusset — *Vie de David Hockney*
6703. Dave Eggers — *Une œuvre déchirante d'un génie renversant*
6704. Nicolas Fargues — *Je ne suis pas une héroïne*
6705. Timothée de Fombelle — *Neverland*
6706. Jérôme Garcin — *Le syndrome de Garcin*
6707. Jonathan Littell — *Les récits de Fata Morgana*
6708. Jonathan Littell — *Une vieille histoire.* Nouvelle version
6709. Herta Müller — *Le renard était déjà le chasseur*
6710. Arundhati Roy — *Le Ministère du Bonheur Suprême*
6711. Baltasar Gracian — *L'Art de vivre avec élégance. Cent maximes de L'Homme de cour*
6712. James Baldwin — *L'homme qui meurt*
6713. Pierre Bergounioux — *Le premier mot*
6714. Tahar Ben Jelloun — *La punition*
6715. John Dos Passos — *Le 42e parallèle. U.S.A. I*
6716. John Dos Passos — *1919. U.S.A. II*
6717. John Dos Passos — *La grosse galette. U.S.A. III*
6718. Bruno Fuligni — *Dans les archives inédites du ministère de l'Intérieur. Un siècle de secrets d'État (1870-1945)*
6719. André Gide — *Correspondance. 1888-1951*
6720. Philippe Le Guillou — *La route de la mer*
6721. Philippe Le Guillou — *Le roi dort*
6722. Jean-Noël Pancrazi — *Je voulais leur dire mon amour*
6723. Maria Pourchet — *Champion*
6724. Jean Rolin — *Le traquet kurde*
6725. Pénélope Bagieu — *Culottées Livre II-partie 1*

6726. Pénélope Bagieu — *Culottées Livre II-partie 2*
6727. Marcel Proust — *Vacances de Pâques* et autres chroniques
6728. Jane Austen — *Amour et amitié*
6729. Collectif — *Scènes de lecture. De saint Augustin à Proust*
6730. Christophe Boltanski — *Le guetteur*
6731. Albert Camus et Maria Casarès — *Correspondance. 1944-1959*
6732. Albert Camus et Louis Guilloux — *Correspondance. 1945-1959*
6733. Ousmane Diarra — *La route des clameurs*
6734. Eugène Ébodé — *La transmission*
6735. Éric Fottorino — *Dix-sept ans*
6736. Hélène Gestern — *Un vertige* suivi de *La séparation*
6737. Jean Hatzfeld — *Deux mètres dix*
6738. Philippe Lançon — *Le lambeau*
6739. Zadie Smith — *Swing Time*
6740. Serge Toubiana — *Les bouées jaunes*
6741. C. E. Morgan — *Le sport des rois*
6742. Marguerite Yourcenar — *Les Songes et les Sorts*
6743. Les sœurs Brontë — *Autolouange* et autres poèmes
6744. F. Scott Fitzgerald — *Le diamant gros comme le Ritz*
6745. Nicolas Gogol — *2 nouvelles de Pétersbourg*
6746. Eugène Dabit — *Fauteuils réservés* et autres contes
6747. Jules Verne — *Cinq semaines en ballon*
6748. Henry James — *La Princesse Casamassima*
6749. Claire Castillon — *Ma grande*
6750. Fabrice Caro — *Le discours*
6751. Julian Barnes — *La seule histoire*
6752. Guy Boley — *Quand Dieu boxait en amateur*
6753. Laurence Cossé — *Nuit sur la neige*
6754. Élisabeth de Fontenay — *Gaspard de la nuit*
6755. Elena Ferrante — *L'amour harcelant*
6756. Franz-Olivier Giesbert — *La dernière fois que j'ai rencontré Dieu*

6757. Paul Greveillac	*Maîtres et esclaves*
6758. Stefan Hertmans	*Le cœur converti*
6759. Anaïs LLobet	*Des hommes couleur de ciel*
6760. Juliana Léveillé-Trudel	*Nirliit*
6761. Mathieu Riboulet	*Le corps des anges*
6762. Simone de Beauvoir	*Pyrrhus et Cinéas*
6763. Dōgen	*La présence au monde*
6764. Virginia Woolf	*Un lieu à soi*
6765. Benoît Duteurtre	*En marche !*
6766. François Bégaudeau	*En guerre*
6767. Anne-Laure Bondoux	*L'aube sera grandiose*
6768. Didier Daeninckx	*Artana ! Artana !*
6769. Jachy Durand	*Les recettes de la vie*
6770. Laura Kasischke	*En un monde parfait*
6771. Maylis de Kerangal	*Un monde à portée de main*
6772. Nathalie Kuperman	*Je suis le genre de fille*
6773. Jean-Marie Laclavetine	*Une amie de la famille*
6774. Alice McDermott	*La neuvième heure*
6775. Ota Pavel	*Comment j'ai rencontré les poissons*
6776. Ryoko Sekiguchi	*Nagori. La nostalgie de la saison qui vient de nous quitter*
6777. Philippe Sollers	*Le Nouveau*
6778. Annie Ernaux	*Hôtel Casanova* et autres textes brefs
6779. Victor Hugo	*Les Fleurs*
6780. Collectif	*Notre-Dame des écrivains. Raconter et rêver la cathédrale du Moyen Âge à demain*
6781. Carole Fives	*Tenir jusqu'à l'aube*
6782. Esi Edugyan	*Washington Black*
6784. Emmanuelle Bayamack-Tam	*Arcadie*
6785. Pierre Guyotat	*Idiotie*
6786. François Garde	*Marcher à Kerguelen.*
6787. Cédric Gras	*Saisons du voyage.*
6788. Paolo Rumiz	*La légende des montagnes qui naviguent.*

6789. Jean-Paul Kauffmann	*Venise à double tour*
6790. Kim Leine	*Les prophètes du fjord de l'Éternité*
6791. Jean-Christophe Rufin	*Les sept mariages d'Edgar et Ludmilla*
6792. Boualem Sansal	*Le train d'Erlingen ou La métamorphose de Dieu*
6793. Lou Andreas-Salomé	*Ce qui découle du fait que ce n'est pas la femme qui a tué le père* et autres textes psychanalytiques
6794. Sénèque	*De la vie heureuse* précédé de *De la brièveté de la vie*
6795. Famille Brontë	*Lettres choisies*
6796. Stéphanie Bodet	*À la verticale de soi*
6797. Guy de Maupassant	*Les Dimanches d'un bourgeois de Paris* et autres nouvelles
6798. Chimamanda Ngozi Adichie	*Nous sommes tous des féministes* suivi du *Danger de l'histoire unique*
6799. Antoine Bello	*Scherbius (et moi)*
6800. David Foenkinos	*Deux sœurs*
6801. Sophie Chauveau	*Picasso, le Minotaure. 1881-1973*
6802. Abubakar Adam Ibrahim	*La saison des fleurs de flamme*
6803. Pierre Jourde	*Le voyage du canapé-lit*
6804. Karl Ove Knausgaard	*Comme il pleut sur la ville. Mon combat - Livre V*
6805. Sarah Marty	*Soixante jours*
6806. Guillaume Meurice	*Cosme*
6807. Mona Ozouf	*L'autre George. À la rencontre de l'autre George Eliot*
6808. Laurine Roux	*Une immense sensation de calme*
6809. Roberto Saviano	*Piranhas*

6810. Roberto Saviano	*Baiser féroce*
6811. Patti Smith	*Dévotion*
6812. Ray Bradbury	*La fusée* et autres nouvelles
6813. Albert Cossery	*Les affamés ne rêvent que de pain*
6814. Georges Rodenbach	*Bruges-la-Morte*
6815. Margaret Mitchell	*Autant en emporte le vent I*
6816. Margaret Mitchell	*Autant en emporte le vent II*
6817. George Eliot	*Felix Holt, le radical.* À paraître
6818. Goethe	*Les Années de voyage de Wilhelm Meister*
6819. Meryem Alaoui	*La vérité sort de la bouche du cheval*
6820. Unamuno	*Contes*
6821. Leïla Bouherrafa	*La dédicace.*
6822. Philippe Djian	*Les inéquitables*
6823. Carlos Fuentes	*La frontière de verre.* Roman en neuf récits
6824. Carlos Fuentes	*Les années avec Laura Díaz.* Nouvelle édition augmentée
6825. Paula Jacques	*Plutôt la fin du monde qu'une écorchure à mon doigt.*
6826. Pascal Quignard	*L'enfant d'Ingolstadt. Dernier royaume X*
6827. Raphaël Rupert	*Anatomie de l'amant de ma femme*
6828. Bernhard Schlink	*Olga*
6829. Marie Sizun	*Les sœurs aux yeux bleus*
6830. Graham Swift	*De l'Angleterre et des Anglais*
6831. Alexandre Dumas	*Le Comte de Monte-Cristo*
6832. Villon	*Œuvres complètes*
6833. Vénus Khoury-Ghata	*Marina Tsvétaïéva, mourir à Elabouga*
6834. Élisa Shua Dusapin	*Les billes du Pachinko*
6835. Yannick Haenel	*La solitude Caravage*
6836. Alexis Jenni	*Féroces infirmes*

6837. Isabelle Mayault	*Une longue nuit mexicaine*
6838. Scholastique Mukasonga	*Un si beau diplôme !*
6839. Jean d'Ormesson	*Et moi, je vis toujours*
6840. Orhan Pamuk	*La femme aux cheveux roux*
6841. Joseph Ponthus	*À la ligne. Feuillets d'usine*
6842. Ron Rash	*Un silence brutal*
6843. Ron Rash	*Serena*
6844. Bénédicte Belpois	*Suiza*
6845. Erri De Luca	*Le tour de l'oie*
6846. Arthur H	*Fugues*
6847. Francesca Melandri	*Tous, sauf moi*
6848. Eshkol Nevo	*Trois étages*
6849. Daniel Pennac	*Mon frère*
6850. Maria Pourchet	*Les impatients*
6851. Atiq Rahimi	*Les porteurs d'eau*
6852. Jean Rolin	*Crac*
6853. Dai Sijie	*L'Évangile selon Yong Sheng*
6854. Sawako Ariyoshi	*Le crépuscule de Shigezo*
6855. Alexandre Dumas	*Les Compagnons de Jéhu*
6856. Bertrand Belin	*Grands carnivores*
6857. Christian Bobin	*La nuit du cœur*
6858. Dave Eggers	*Les héros de la Frontière*
6859. Dave Eggers	*Le Capitaine et la Gloire*
6860. Emmanuelle Lambert	*Giono, furioso*
6861. Danièle Sallenave	*L'églantine et le muguet*
6862. Martin Winckler	*L'École des soignantes*
6863. Zéno Bianu	*Petit éloge du bleu*
6864. Collectif	*Anthologie de la littérature grecque. De Troie à Byzance*
6865. Italo Calvino	*Monsieur Palomar*
6866. Auguste de Villiers de l'Isle-Adam	*Histoires insolites*
6867. Tahar Ben Jelloun	*L'insomniaque*
6868. Dominique Bona	*Mes vies secrètes*
6869. Arnaud Cathrine	*J'entends des regards que vous croyez muets*
6870. Élisabeth Filhol	*Doggerland*

6871. Lisa Halliday — *Asymétrie*
6872. Bruno Le Maire — *Paul. Une amitié*
6873. Nathalie Léger — *La robe blanche*
6874. Gilles Leroy — *Le diable emporte le fils rebelle*
6875. Jacques Ferrandez / Jean Giono — *Le chant du monde*
6876. Kazuo Ishiguro — *2 nouvelles musicales*
6877. Collectif — *Fioretti. Légendes de saint François d'Assise*
6878. Herta Müller — *La convocation*
6879. Giosuè Calaciura — *Borgo Vecchio*
6880. Marc Dugain — *Intérieur jour*
6881. Marc Dugain — *Transparence*
6882. Elena Ferrante — *Frantumaglia. L'écriture et ma vie*
6883. Lilia Hassaine — *L'œil du paon*
6884. Jon McGregor — *Réservoir 13*
6885. Caroline Lamarche — *Nous sommes à la lisière*
6886. Isabelle Sorente — *Le complexe de la sorcière*
6887. Karine Tuil — *Les choses humaines*
6888. Ovide — *Pénélope à Ulysse* et autres lettres d'amour de grandes héroïnes antiques
6889. Louis Pergaud — *La tragique aventure de Goupil* et autres contes animaliers
6890. Rainer Maria Rilke — *Notes sur la mélodie des choses* et autres textes
6891. George Orwell — *Mil neuf cent quatre-vingt-quatre*
6892. Jacques Casanova — *Histoire de ma vie*
6893. Santiago H. Amigorena — *Le ghetto intérieur*
6894. Dominique Barbéris — *Un dimanche à Ville-d'Avray*
6895. Alessandro Baricco — *The Game*
6896. Joffrine Donnadieu — *Une histoire de France*
6897. Marie Nimier — *Les confidences*
6898. Sylvain Ouillon — *Les jours*
6899. Ludmila Oulitskaïa — *Médée et ses enfants*
6900. Antoine Wauters — *Pense aux pierres sous tes pas*

6901. Franz-Olivier Giesbert	*Le schmock*
6902. Élisée Reclus	*La source* et autres histoires d'un ruisseau
6903. Simone Weil	*Étude pour une déclaration des obligations envers l'être humain* et autres textes
6904. Aurélien Bellanger	*Le continent de la douceur*
6905. Jean-Philippe Blondel	*La grande escapade*
6906. Astrid Éliard	*La dernière fois que j'ai vu Adèle*
6907. Lian Hearn	*Shikanoko, livres I et II*
6908. Lian Hearn	*Shikanoko, livres III et IV*
6909. Roy Jacobsen	*Mer blanche*
6910. Luc Lang	*La tentation*
6911. Jean-Baptiste Naudet	*La blessure*
6912. Erik Orsenna	*Briser en nous la mer gelée*
6913. Sylvain Prudhomme	*Par les routes*
6914. Vincent Raynaud	*Au tournant de la nuit*
6915. Kazuki Sakuraba	*La légende des filles rouges*
6916. Philippe Sollers	*Désir*
6917. Charles Baudelaire	*De l'essence du rire* et autres textes
6918. Marguerite Duras	*Madame Dodin*
6919. Madame de Genlis	*Mademoiselle de Clermont*
6920. Collectif	*La Commune des écrivains. Paris, 1871 : vivre et écrire l'insurrection*
6921. Jonathan Coe	*Le cœur de l'Angleterre*
6922. Yoann Barbereau	*Dans les geôles de Sibérie*
6923. Raphaël Confiant	*Grand café Martinique*
6924. Jérôme Garcin	*Le dernier hiver du Cid*
6925. Arnaud de La Grange	*Le huitième soir*
6926. Javier Marías	*Berta Isla*
6927. Fiona Mozley	*Elmet*
6928. Philip Pullman	*La Belle Sauvage. La trilogie de la Poussière, I*
6929. Jean-Christophe Rufin	*Les trois femmes du Consul. Les énigmes d'Aurel le Consul*

6930. Collectif	*Haikus de printemps et d'été*
6931. Épicure	*Lettre à Ménécée* et autres textes
6932. Marcel Proust	*Le Mystérieux Correspondant* et autres nouvelles retrouvées
6933. Nelly Alard	*La vie que tu t'étais imaginée*
6934. Sophie Chauveau	*La fabrique des pervers*
6935. Cecil Scott Forester	*L'heureux retour*
6936. Cecil Scott Forester	*Un vaisseau de ligne*
6937. Cecil Scott Forester	*Pavillon haut*
6938. Pam Jenoff	*La parade des enfants perdus*
6939. Maylis de Kerangal	*Ni fleurs ni couronnes* suivi de *Sous la cendre*
6940. Michèle Lesbre	*Rendez-vous à Parme*
6941. Akira Mizubayashi	*Âme brisée*
6942. Arto Paasilinna	*Adam & Eve*
6943. Leïla Slimani	*Le pays des autres*
6944. Zadie Smith	*Indices*
6945. Cesare Pavese	*La plage*
6946. Rabindranath Tagore	*À quatre voix*
6947. Jean de La Fontaine	*Les Amours de Psyché et de Cupidon* précédé d'*Adonis* et du *Songe de Vaux*
6948. Bartabas	*D'un cheval l'autre*
6949. Tonino Benacquista	*Toutes les histoires d'amour ont été racontées, sauf une*
6950. François Cavanna	*Crève, Ducon !*
6951. René Frégni	*Dernier arrêt avant l'automne*
6952. Violaine Huisman	*Rose désert*
6953. Alexandre Labruffe	*Chroniques d'une station-service*
6954. Franck Maubert	*Avec Bacon*
6955. Claire Messud	*Avant le bouleversement du monde*
6956. Olivier Rolin	*Extérieur monde*
6957. Karina Sainz Borgo	*La fille de l'Espagnole*
6958. Julie Wolkenstein	*Et toujours en été*
6959. James Fenimore Cooper	*Le Corsaire Rouge*

Tous les papiers utilisés pour les ouvrages
des collections Folio sont certifiés
et proviennent de forêts gérées durablement.

Composition Entrelignes
Impression Maury Imprimeur
45330 Malesherbes
le 15 novembre 2021.
Dépôt légal : novembre 2021
Numéro d'imprimeur : 258943

ISBN 978-2-07-296232-5 / Imprimé en France.

401242